Instructor's Resource Manual
and
Testing Program

for

Reflexiones
Introducción a la literatura hispánica

Instructor's Resource Manual
and
Testing Program

for

Reflexiones
Introducción a la literatura hispánica

AP® Edition

Rodney T. Rodríguez
Manhattan College

PEARSON

**Boston Columbus Indianapolis New York San Francisco Upper Saddle River
Amsterdam Cape Town Dubai London Madrid Milan Munich Paris Montréal Toronto
Delhi Mexico City Sao Paulo Sydney Hong Kong Seoul Singapore Taipei Tokyo**

Senior Acquisitions Editor: Tiziana Aime
Executive Editor, Spanish: Julia Caballero
Editorial Assistant: Jonathan Ortiz
Executive Marketing Manager: Kris Ellis-Levy
Senior Marketing Manager: Denise Miller
Marketing Assistant: Michele Marchese
Senior Managing Editor for Product Development: Mary Rottino
Associate Managing Editor (Production): Janice Stangel
Production Project Manager: María F. García
Executive Editor, MyLanguageLabs: Bob Hemmer
Senior Media Editor: Samantha Alducin
Development Editor, MyLanguageLabs: Bill Bliss
Editorial Coordinator, World Languages: Regina Rivera
Art Manager: Gail Cocker
Illustrator: Andrew Lange
Creative Director: Jayne Conte
Cover Design: Suzanne Behnke
Operations Manager: Mary Fischer
Operations Specialist: Alan Fischer
Full-Service Project Management: Katie Ostler, Element, LLC
Composition: Element, LLC
Senior Vice President: Steve Debow

AP® is a trademark registered and/or owned by the College Board, which was not involved in the production of, and does not endorse, this product.

IM is also available online to teachers at **www.PHSchool.com**, enter code jzf-1001 in the section labeled Web Code.

4 16

PEARSON

PearsonSchool.com/Advanced

ISBN 10: 0-205-24129-8
ISBN 13: 978-0-205-24129-3

Table of Contents

Introduction (Letter from the author)

The complete Instructor's Manual is available for teachers online for download. Visit **PHSchool.com** and enter jzf-1001 in the section labeled Course Content—Web Code.

Reflexiones AP® Edition, Instructor Resource Manual and Testing Program © Pearson Education, Inc.

Instructor's Resource Manual
and
Testing Program

for

Reflexiones
Introducción a la literatura hispánica

Introduction
(Letter from the author)

Dear Teachers of AP Spanish Literature and Culture,

First, let me congratulate you for taking on this demanding but important course. I fully realize the huge amount of work entailed in preparing students for this exam. And second, thank you for selecting *Reflexiones: Introducción a la literatura hispánica* AP* Edition as your primary text. Students and teachers alike will find this course demanding. I hope *Reflexiones* and its accompanying *Instructor's Resource Manual and Testing Program* provide you with the tools you need to make the selections more comprehensible and easier as you guide your students through the AP program.

Although *Reflexiones* is ordered around the six prescribed themes, the College Board does not insist that they be read in the order that I have suggested. As you can see from the online sample syllabi posted on the Teacher's Companion Web Site, this instructor has chosen to organize the course by cultural periods. Others may wish to categorize by genre. Still others may prefer to start with major, longer works such as *Lazarillo* or *Don Quijote* that contain discourses on all of the themes, in order to have a reference point for other works that will be read later. These matters are discussed at greater length in the section entitled "Alternate Organizations."

The *Instructor's Resource Manual and Testing Program* includes a number of useful and informative files. Although the literary selections in *Reflexiones* are organized around the six fundamental themes prescribed by the College Board, there are many other works that can easily be chosen to incorporate in a particular theme. As the visual graph of concentric circles in the Curriculum Framework provided by the College Board clearly illustrates, these themes are intended to overlap. Consequently, in the section entitled "Theme Rationale," I have provided my own reasons for selecting the works to be read under a particular theme, but I also explain which other works could be included.

In the section "Teaching Suggestions," I focus on topics central to the AP Spanish Literature and Culture exam that are well represented in a particular chapter. These include tips for teaching literary history (e.g., Renaissance, *Siglo de Oro*, Baroque, Neoclassicism, Romanticism, *Modernismo*, Generation of '98, *el Boom*, etc.) and literary topics (e.g., figurative language, genre issues, symbolism and subtexts, matters of tone, *desdoblamiento*, intertexuality, metaliterature, etc.).

This is followed by ideas for posing the "Essential Questions" suggested by the College Board. These questions are only suggestions—you may devise your own. I feel that these questions provide an excellent way of wrapping up or summarizing a theme.

Lastly, but perhaps most importantly, the questions include *my* answers to the questions posed in the chapter sections called *Comprensión*; *Interpretación*; and *Cultura, conexiones y comparaciones*. The word "my" is important, because I may see the work differently from the teacher or the student. Consequently, there may be other acceptable or plausible alternative answers. Quite frequently I have used the acronym RV (*Respuestas variadas*) when the student's personal opinion is asked for or when the answers may be morally or politically controversial. I hope these cases stimulate conversation or debate.

Two helpful appendices complete this section: (1) Studying art and (2) Recorded poems. The new AP Spanish Literature and Culture Examination requires students to analyze art and draw comparisons between literary works and artistic manifestations. To provide additional support in teaching art, I have appended suggestions for training students to view and analyze art using three Spanish masterpieces: Velázquez'

Las meninas, Goya's *Los fusilamientos del 3 de mayo*, and Picasso's *Guernica*. Furthermore, I have provided on the Teacher's Companion Web Site a list of many other visual resources that can be analyzed to accompany selections on the reading list.

I have always felt that a good, professional reading is in itself an interpretation of the poem and helpful to students to better understand it. Furthermore, many great poems have been set to music—another device for appreciating poetry. On the Teacher's Companion Web Site, I have included links to professional readings of most of the poems.

Lastly, the Testing Program has sufficient items to construct three tests in the format of the AP Spanish Literature and Culture Examination: three audio selections with fifteen multiple-choice questions; fifty reading comprehension and interpretation multiple-choice questions, including literary criticism; two short-answer essays on (1) text explanation and (2) art and literature connections; two longer essays on (1) textual analysis (not necessarily a poem) and (2) textual comparison.

The test banks are very versatile. You can practice each part of the exam separately, you can select multiple-choice questions to test works already read in class, or you can construct the equivalent of an AP exam. The instructions for constructing exams are given in the bank itself, so I will not repeat them here. But I will reiterate that these test items, although written by testing professionals, have not undergone pre-test scrutiny. What does this mean? Sometimes an item looks perfectly constructed but does not achieve the desired objective. For instance, there should be a curve in which the students who score 5 get the right answers more than those who score 4, which in turn do better than those who score 3 and so on. When that curve is lopsided, there is something wrong with the item. Rather than attempt to fix the question, it is totally discarded. This does not occur often, but it does happen.

Best wishes and much success,

Rodney Rodríguez
Emeritus Professor of Spanish
Manhattan College

To access the Teacher's Companion Web Site, go to PHSchool.com and type in Web Code jzf-1001

LAS SOCIEDADES EN CONTACTO: PLURALISMO RACIAL Y DESIGUALDAD ECONÓMICA

THEME RATIONALE

TIPS FOR USING THE "ORGANIZING CONCEPTS"

- La asimilación y la marginalización
- La diversidad
- Las divisiones socioeconómicas
- El imperialismo
- El nacionalismo y el regionalismo

The "organizing concepts" provided by the College Board are aimed at helping students see and understand the subthemes related to the major theme. By reading these "concepts," you begin to see that the first theme ("Las sociedades en contacto") relates to the pluralism and ethnic diversity of the Hispanic world, the historical events that produced it, and the positive and negative effects of these racial contacts.

Consequently, for this theme I have chosen the following works:

Edad Media

"Romance del rey moro que perdió Alhama": This romance will allow you to discuss the Arab presence in the Iberian Peninsula, the *Reconquista*, and the coexistence as well as tensions between Muslims and Christians. The poem was obviously composed by a *mozárabe* (a Christian living under Muslim rule) and expresses sympathy with Muslims rather than Christians. The refrain "Ay de mi Alhama" appears to express a collective lament for the loss of the Muslim city to Christian forces.

Siglos XVI y XVII

The anonymous "Se ha perdido el pueblo Mexicatl": Here you have the opportunity to discuss the Spanish conquest of the New World and the havoc it created for indigenous peoples. This lament expresses the deep pain and frustration of the loss of the Mexican homeland to Spanish conquistadores. It's an excellent example of the *voz del vencido* that was silenced for so many centuries.

Hernán Cortes, "Segunda carta de relación": This provides an excellent source for showing how the Spanish viewed the world and the people they had conquered. First off, Cortés sees everything from a European perspective. While he is impressed with the urban organization of Tenochtitlán, its bustling commercial life, and its hospitable people, he continues to view the "Indians" as barbarians and people without reason. What an excellent example of the "clash" of two cultures, which would eventually lead to war and decimation.

Sahagún's "Los siete presagios": This allows you to expand on the Conquest theme, perhaps in a more positive light. Sahagún learned Nahuatl to interview the very Aztecs that were affected by the Conquest and record their reactions. This illustrates, perhaps, a positive effort by the missionaries to preserve the history of the indigenous peoples. This particular passage, with its strange images and awkward syntax, clearly illustrates the radically different logic and beliefs of the Aztec peoples as compared to those of their Christian conquerors.

Lazarillo de Tormes: Because of its richness, the *Lazarillo* could easily fit into any of the six themes. I have chosen to include it here because of the social disparity it depicts, especially during a period of Spanish imperial greatness. The novel removes the mask of official Spain and shows another face—one of poverty, racism, cruelty, corruption, hypocrisy, etc.—thus fitting quite nicely in the organizing concept of "Las divisiones socioeconómicas." The novel also shows the ethnic diversity of Spain, a topic that, after 1492, official Spain wanted to expunge. Lazarillo's father was a Moor, his stepfather is a black Muslim, and his stepbrother is a mulatto. At the end, Lazarillo compares his good fate with that of imperial Spain as he compares his "good fortune" to that of Charles V (king of Spain and Holy Roman Emperor), indicating that Spain's greatness is as much a façade as his own false sense of achievement. As a result, the novel reveals a vision of Spain from the perspective of the marginalized and thus provides a very different picture than the official image the monarchy and the nobility wanted to project to the rest of Europe.

Época moderna

Pardo Bazán, "Las medias rojas": Here again, this story could fit nicely in Chapter II ("La construcción del género") for its feminist interpretation. I have chosen to include it here because it, like the *Lazarillo*, shows the inequities in Spanish society. Clodio does not own the lands he works, and his daughter must emigrate in search of a better life, even if it means prostituting herself, just as Lazarillo's mother was forced to do. Lastly, its strong *gallego* regionalism drives home the point that Spain is, even today, a multicultural and multilingual country.

José Martí, "Nuestra América": This masterpiece shows, despite its difficulty, the divisions within Latin American society—politically, socially and racially. The author calls for Latin Americans to look into their own multiethnic reality and not to Europe for models of government. Furthermore, this work belongs squarely within the organizing concept of "El imperialismo," as Martí warns of the potential dangers of U.S. involvement in Latin American affairs.

Rubén Darío, "A Roosevelt": No work on the list could more ideally fit the "El imperialismo" organizing concept than this poem, written in the aftermath of the Spanish-American War (1898) and the U.S. invasion of Panama (1902). It decries the barbarism of the United States and its goal to take over Latin America.

Federico García Lorca, "El prendimiento de Antoñito el Camborio": Here we see another marginalized group in Spanish society: the Gypsies. Many of Spain's iconic images, such as that of the flamenco, have Gypsy roots, and Spaniards admire Gypsy folklore; yet they detest the Gypsy race for its unwillingness to assimilate. Another point is stereotyping. Antoñito is not a typical Gypsy, but he suffers the same consequences as if he were. To make the theme even more complex, the police criticize him for not being like the other Gypsies, who would have pulled out blades and defended themselves. It's a case of "damned if you do, damned if you don't."

Nicolás Guillén, "Balada de los dos abuelos": The issue of race and racial mixtures, which characterizes so much of Latin America, forms the basis of this poem. Consequently, it ideally fits the organizing concepts of "Assimilation" and "Diversity."

Reflexiones AP® Edition, Instructor Resource Manual and Testing Program © Pearson Education, Inc.

While most of the works dealing with these topics are viewed from a negative perspective, Guillén's poem looks at the positive side.

Osvaldo Dragún, *El hombre que se convirtió en perro*: The dehumanizing effects of losing one's job due to severe economic conditions is driven home in this one-act play. As a result, the play ideally suits the organizing concept of "Las divisiones socioeconómicas." It can be read alongside other works that display economic inequality, such as the *Lazarillo*, "Las medias rojas," "La siesta del martes," and the two stories by Tomás Rivera.

Tomás Rivera, "... y no se lo tragó la tierra" and "La noche buena": The plight of Mexican migrant workers fits many categories of this theme: marginalization, diversity, socioeconomic divisions, and even regionalism. The stories show the diversity of the United States and its marginalized and often exploited minority groups: the difficult life of migrant workers who work from sunrise to sunset, are poorly paid, and whose children must help in the fields, denying them an education. What better works to illustrate the "Las sociedades en contacto" than these stories of Mexicans trying to adapt to a foreign way of life?

Other works that could be read under this theme:

Carlos Fuentes, in "Chac Mool," pits the European world of Filiberto against the pre-Hispanic world of Chac Mool. While Filiberto admires pre-Hispanic cultures, he is unprepared to accept their supremacy over his Western traditions. Seen this way, the masterful story fits the categories of assimilation, diversity, and nationalism.

Julio Cortázar, "La noche boca arriba," may be read to illustrate the confluence of two cultures in Latin America: the European and the indigenous. The story, however, deals more with the literary play of time and space than with social or cultural issues.

Antonio Machado, "He andado muchos caminos," talks about the presumptuous upper classes and compares them with the simple life of Spanish peasants. The poem, seen in this light, could be read within the concept of "Las divisiones socioeconómicos."

Isabel Allende, "Dos palabras," shows how the main character, Belisa, is able to overcome her poverty through ingenuity and hard work. Consequently, it fits more comfortably with issues of gender.

Nancy Morejón's poem "Mujer negra" would work perfectly well in this chapter for obvious reasons. I have chosen to include it in Chapter III because of its linear time development.

Possibilities for organizing concepts:

TEMA	AUTORES
LAS SOCIEDADES EN CONTACTO	
La asimilación y la marginalización	Romance, *Lazarillo*, Lorca (Romance), Guillén, Rivera, Fuentes
La diversidad	Romance, *Lazarillo*, Guillén, Borges (Sur), *DQ*, Cortázar, Rivera, Fuentes, Morejón
Las divisiones socioeconómicas	*Lazarillo*, *Burlador*, Pardo Bazán, Lorca (*Bernarda*), Rivera, Dragún, García Márquez (Siesta), Machado
El imperialismo	Cortés, Quevedo, Darío, Martí
El nacionalismo y el regionalismo	Poema azteca, Pardo Bazán, Darío, Martí, Quiroga, Lorca (Romance)

TEACHING SUGGESTIONS

TIPS FOR TEACHING LITERARY HISTORY

1. You should emphasize the importance of the Spanish *Romancero*, the best-preserved body of medieval European balladry. By pointing out the characteristics of the old *romances* such as "Romance del rey moro que perdió Alhama," you can then compare it to Lorca's *romance* and note the same characteristics. This illustrates the continuity of literary traditions in Hispanic culture. Guillén's "Balada" also has features of the *Romancero*, but he takes more liberties.

2. You should take the opportunity to talk about the rich literature related to the "Encuentro entre dos culturas," especially as only Spain produced a substantial body of writings in that area. It should be noted that the other colonial powers (England, France, and Holland) seemed uninterested in writing about the indigenous peoples with whom they came in contact. On page 49 (number 1 under *Cultura, conexiones y comparaciones*), there is a list of the major figures of this important area of literature. Chief among them is Bartolomé de las Casas, whose writings in defense of the indigenous population form the basis of the modern discourse on human rights. Cortés's letters to Carlos V illustrate the inevitable cultural clash between European and indigenous peoples.

   The *voz del vencido* is very much in vogue, and this chapter has two excellent examples. Sahagún's works, preserved in the *Florentine codex* is of particular importance because he was a pioneer of modern anthropology and introduced the idea of using informants and oral history.

3. The importance of the *Lazarillo* and the picaresque genre merits a good deal of attention. It represents the first steps of the modern novel, as it relates a fictitious story, but in such a way that makes the reader think it actually happened. This note of "realism" would characterize the European novel until the twentieth century. Picaresque novels flourished in Spain during the sixteenth and seventeenth centuries, and their translations into English provided the sources of the first great novels of English literature in the eighteenth century. These matters are covered on pages ¿?–¿? (number 1 of *Cultura, conexiones y comparaciones*).

   Lazarillo is also important for the realistic picture it paints of Spain at a time when Spain projected itself as the richest nation on Earth, with the greatest empire, and also the defender of orthodox Christianity. *Lazarillo* lays bare the real truth by unmasking the "official story" and showing a nation of poverty, racial discrimination, church corruption, cruelty, exploitation, hypocrisy, etc. The very brief Tratado IV, not included on the AP reading list, deals with child sexual abuse by the clergy—a contemporary topic. If you feel comfortable confronting the issue, it's very worthwhile reading.

4. "Las medias rojas" provides an example of Realism and Naturalism, the major literary movement in prose during the second half of the nineteenth century. It would be worthwhile to make a list of all the ways realism is achieved in this piece, by pointing out its historical reality, the *gallego* regionalism, and the minute details of ambience and actions, including its depiction of violence. No topic is taboo. Note as well that the realistic style carries on in the twentieth century, as illustrated in the stories of Tomás Rivera. And while most twentieth-century authors experimented with prose narrative, they did not entirely abandon realism, as illustrated in "¿No oyes ladrar los perros?" by Rulfo and "La siesta del martes" by García Márquez.

5. The major poetic movement of the same period (second half of the nineteenth century) is Modernism. In this chapter there are two examples: Darío and Martí.

Unfortunately, the Darío poem does not provide a vivid example of modernist poetry, which for the most part was an antidote to the crude realism in prose. The Darío poem here represents the second manner in which he had become more socially and politically engaged. The modernistic elements of "A Roosevelt" are his original images (e.g., the subversion of the symbol of the Statue of Liberty) and his experiment with versification. "A Roosevelt" is among the first poems in the Spanish language written in free verse.

Ironically, the Martí essay provides better examples of Modernism. In fact, it represents a successful attempt to bring Modernism to prose. The poem abounds in poetic language. Many of these examples are covered in the questions on pages 105–106

6. Some of the twentieth-century examples clearly illustrate the experimentation that is so typical of the literature of that period. Lorca's insertion of surrealistic elements in "Antoñito," while still conserving the traditional Romancero techniques is a good case in point. Dragún's play is perhaps the most daring technically, as it plays with elements of the theater of the absurd: actors play different roles, there's a narrator, and the subject matter at times defies logic.

TIPS FOR TEACHING LITERARY ISSUES

1. Because this is the first chapter, it might be wise to explain the importance of the "narrative point of view" and the *yo lírico*, as these concepts appear over and over again. Essentially, they accentuate the fact that the ideas expressed in a work of literature are not necessarily those of the author. That is why we use the term "narrator." There are several types of narrators; two are present in this chapter. *Lazarillo* has a first-person narrator who obviously tells his story and molds the message from his point of view. He also controls what he wants to say. For instance, at the end of Tratado IV, he says, "estas cosas y otras que no digo," thus denying the reader the facts behind the story. Other narrators are omniscient. These are more trustworthy, although sometimes their complete objectivity leaves the reader to interpret the events. For instance, Pardo Bazán's omniscient narrator simply describes a violent act, but he or she does not pass judgment. One modern reader might view the father's abuse as an example of male domination, while another might feel it justified on cultural grounds: in Hispanic culture, a daughter does not abandon a father who is a widower.

    The *yo lírico* is simpler. Lyrical poems have no narrators, yet there is a voice that expresses feelings and ideas. Because that voice may or may not be that of the author, we refer to that voice as the *yo lírico*. For instance, the *carpe diem* poems by Garcilaso and Góngora in Chapter III are not the opinions of the authors. They are merely imitating a theme of classical Latin literature and giving it an original twist. The *yo lírico* of "A Roosevelt," on the other hand, expresses the views of Darío and of most progressive and enlightened Latin American men of his generation.

2. Also, because this is the first chapter, it might be wise to point out the important distinction between metaphor and metonymy with examples from Darío's poem.

    In the English language, the distinction is not clearly drawn, and sometimes one hears the term "submerged metaphor" for what in Hispanic criticism would be metonymy. While a metaphor draws an explicit comparison between two signs that have something in common, metonymy does not draw an explicit comparison—it substitutes both signs being compared with implicit signs. In the first stanza of "A Roosevelt," Darío relates the *cazador* (a synecdoche for Roosevelt) to the United States, because he is the "futuro invasor / de la América ingenua." The metaphor is rather explicit: cazador = Roosevelt; Roosevelt = United States. By extension, the hunter Roosevelt (symbol of the United States) is the future invader of Latin America (e.g., Latin America will be the U.S.'s next prey).

Between verses 21 and 22, a more complex image is drawn through metonymy: "Cuando ellos [U.S.] se estremecen hay un hondo temblor / que pasa por las vértebras enormes de los Andes." First, we have to make the connection between *estremecer* and *hondo temblor* as an earthquake. Secondly, we have to understand that vertebrae are a series of small, attached bones that run along the back. If you have ever see the spinal column of an animal in a science lab, you know that when the column is shaken at one end, the movement reverberates to the other end. In other words, the poet assumes that his reader will see the submerged metaphor of the vertebrae as the extension of the mountain range that runs along the west coast of the Western Hemisphere and includes the Rockies (in Canada and the United States), the Sierra Madre (in Mexico and Central America), and the Andes in South America. When there's a quake in the Rockies, it is felt in Latin America. In other words, what happens in the United States affects Latin America as well. A common related saying is that when the United States sneezes, Latin America catches a cold. This type of trope places more demands on the reader, but it also produces stunning and challenging imagery.

3. "A Roosevelt" also affords a grand opportunity to talk about the many figures of language that produce audio effects. Few poems can avoid these figures, and modern poetry—with its free verse—relies heavily on them. The most common of these are alliteration, onomatopoeia, cacophony, anaphora, and polysyndeton. Point them out to students, and have them explain the audio and emotional effect they produce:

   • alliteration: vv. 17–19 (repetition of bilabial sounds /p/, /b/, and /v/.

   • onomatopoeia: v. 23 ("rugir del león"); recall that the Spanish *g* has a guttural sound

   • cacophony: v. 50 ("férreas garras"); note also the alliteration

   • anaphora: vv. 38–40 ("la América"); note also the alliteration

   • polysyndeton: vv. 44–45 (repetition of *y*)

4. This chapter has all four genres represented: poetry (narrative as well as lyrical), drama (albeit a very modern form), prose fiction, and essay. It also contains documentary literature related to the Conquest. Using the characteristics outlined in the second preliminary chapter ("Los géneros literarios"), take the opportunity to make certain that the students understand the differences between each genre. While this exercise may seem rhetorical and superfluous, each genre poses different issues and requires distinct critical apparatuses to analyze it.

POSING ESSENTIAL QUESTIONS FOR DISCUSSION

The College Board recommends posing general questions in each chapter as a means of understanding the thematic connections between the works. The ones they propose are merely suggestions; you can come up with your own questions. I think these questions are an ideal way of reviewing the theme before going on to the next chapter. Here are some questions for "Las sociedades en contacto" and the works that might be mentioned to address them:

1. ¿Cómo se vislumbra el pluralismo étnico y racial del mundo hispánico en las obras leídas?

   • El "Romance del rey moro" habla de mozárabes y árabes.

   • Las "Cartas" de Cortés muestran el conflicto entre las dos culturas.

   • En *Lazarillo* se ve el racismo en el Siglo de Oro.

Reflexiones AP® Edition, Instructor Resource Manual and Testing Program © Pearson Education, Inc.

- El medio ambiente gallego de "Las medias rojas" recalca las diferencias étnicas en España.
- En "Nuestra América", Martí escribe explícitamente del efecto pernicioso del racismo en Hispanoamérica.
- Lorca pinta a un grupo minoritario y marginado (los gitanos) dentro de España.
- Guillén nos ofrece un cuadro más esperanzado de las relaciones entre las razas en Hispanoamérica.
- Los cuentos de Rivera exploran los problemas que sufren los inmigrantes mexicanos que llegan a los EE. UU.

2. ¿Cuáles son las causas por la desigualdad económica que se expresan en estas obras?

- En *Lazarillo* se ve pobreza y hambre a pesar de que España era el país más rico y pudiente del mundo. O sea, había mala distribución de la riqueza. El aburguesamiento de *Lazarillo* se expresa con mucha ironía y paradoja.
- En Pardo Bazán, hay una mala distribución de tierra; Clodio no es el dueño de las tierras que labora. Esta situación hizo que muchos gallegos emigraran al Nuevo Mundo en el siglo XIX.
- Dragún recalca las crisis económicas que han asolado Hispanoamérica en el siglo XX. Produce mucho desempleo o empleo de bajo sueldo que explota y deshumaniza.
- Rivera pinta la vida difícil de los inmigrantes ambulantes mexicanos que vienen a trabajar en la cosecha en EE. UU. Son explotados y maltratados por sus patrones y no pueden establecerse en ningún lugar, de modo que sus hijos no pueden asistir a la escuela. Todo esto forma un círculo vicioso de pobreza.

3. ¿Cómo afecta la cultura del individuo cuando describe otra cultura ajena?

- Cortés admira la cultura azteca, pero porque no son cristianos, los considera bárbaros. Por contraste, el poeta azteca de "Se ha perdido el pueblo Mexicatl" expresa sentimientos muy semejantes a los que expresara un europeo al perder su nación y su identidad.
- Nosotros los lectores encontramos muy raras las imagines, la lógica y las supersticiones descritas en "Los presagios", precisamente porque somos de otra cultura.
- Los Guardias Civiles en el poema de Lorca, a causa del estereotipo, esperan cierto comportamiento de Antoñito por ser gitano.
- Darío también tiene estereotipos de EE. UU.: son agresivos, imperialistas, insensibles y poco cristiano.

4. ¿Cómo resiste o se asimila un grupo minoritario a la cultura del pueblo dominante?

- Los mozárabers del romance del "Rey moro" están completamente asimilados a la cultura árabe, pues llevaban 500 años de convivencia. Se sienten tan parte de esa cultura que les enoja que los cristianos (sus correligionarios) hayan reconquistado la ciudad musulmana de Alhama.
- *Lazarillo* es quizá el mejor ejemplo de asimilación. Después de sus malas experiencias con amos crueles, avaros, hipócritas, ridículos, abusivos y corruptos, decide abrazar los valores falsos de su mundo. Claro está, su asimilación es irónica, puesto que para vivir más o menos bien tiene que aceptar la deshonra de ser cornudo.
- Ildara quiere un cambio en su vida, pero se lo prohíbe el medio ambiente brutal en que vive.

- En "Nuestra América", Martí no habla de asimilación, sino de hermandad entre los pueblos y las razas, lo cual equivale a una forma de asimilación.
- Darío rechaza aceptar los valores de los EE. UU. y ve un gran abismo entre los valores del norte y los del sur.
- Los gitanos de Lorca no quieren asimilarse; quieren vivir dentro de su cultura y ser aceptados. Antoñito, sin embargo, es algo diferente de los otros gitanos (quizá más asimilado), pero su asimilación no le ayuda. Los guardias lo siguen considerando gitano con todos los estereotipos que el grupo conlleva.
- Guillén no habla de asimilación. El mestizaje no es necesariamente asimilación. El poeta pinta los mundos muy distintos del abuelo español y el abuelo negro, sin mencionar la necesidad de asimilarse. El mestizo mulato tiene dos identidades: el africano y el europeo.
- María en "La noche buena" quiere celebrar Christmas como los otros norteamericanos. Claramente quiere asimilarse, pero su situación económica y otros factores no se lo permiten.

Reflexiones AP® Edition, Instructor Resource Manual and Testing Program © Pearson Education, Inc.

ANSWERS

CAPÍTULO I.
LAS SOCIEDADES
EN CONTACTO:
PLURALISMO RACIAL Y
DESIGUALDAD ECONÓMICA

"Romance del rey moro que perdió Alhama" (pp. 39-42)

■ ▢ ■

Comprensión

1. Se paseaba por Granada en una mula.

2. • Porque traía noticias secretas que él no quería que se divulgaran. Era, además, costumbre romana.

   • Existe en inglés la expresión "Don't kill the messenger".

3. Que los cristianos del norte habían tomado el pueblo de Alhama, que era parte del imperio de la Granada islámica.

4. Convoca al pueblo para contarles lo que había pasado.

5. Le echa en cara otros delitos: Había contratado a cristianos de Córdoba convertidos al Islam y había matado a la familia de los Abencerraje. Parece que los musulmanes no confiaban en los 'tornadizos' y que sí respetaban a los Abencerraje.

Interpretación

1. • Ocho, excepto en el estribillo que contiene 5 (por la sinalefa del diptongo "mialhama").

   • Asonante, a/a en versos pares y en el estribillo.

   • Una composición de 8 sílabas con rima asonante.

2. Narrativo. Cuenta un hecho.

3. Las dos secciones dialogadas cuando habla el rey y luego el alfaquí.

4. Es como un lamento, un coro, la voz colectiva del pueblo. Produce efectos fónicos con la aliteración de la "a".

5. No confía en el rey. Aunque es cristiano (ya que escribe en castellano), se percibe que vive feliz bajo la dominación musulmana puesto que lamenta que se haya perdido Alhama.

6. La mula es lenta, pacífica; no son buenas características de un rey.

Cultura, conexiones y comparaciones

1. El pueblo era analfabeto; no se sabía escribir, no había imprenta, etc.
   - *Las respuestas variarán.* Radio, televisión, Internet, iPhone, etc.
2. Una tradición musical que surge a raíz de la Revolución Cubana y que expresa preocupaciones de índole político, social, sexista, etc.
   - Música folk como la de Joan Baez, Bob Dylan, Pete Seeger, Bruce Springsteen, etc.
3. Habían vivido entre musulmanes casi 800 años. No conocían otra forma de vida. Es un ejemplo perfecto de la convivencia.
   - Era sumamente pluralista. Aunque había guerras de reconquista, eran luchas territoriales y políticas. El pueblo seguía conviviendo. Solo cambiaban los gobernantes.
4. Mozárabe (cristianos que viven bajo dominación islámica), mudéjar (árabes que viven bajo dominación cristiana), morisco (moro que permanece en España después de la expulsión de 1492), judíos conversos (cristianos nuevos, o sea, judíos que se convirtieron al cristianismo en vez de exiliarse en 1492), marranos (cripto-judíos, o sea, conversos falsos), tornadizo (cristiano que se convierte al islam).
5. Profusión de ornamentación; no hay figuras humanas; crea un sentido de paz y harmonía a pesar de la ornamentación; emplean arcos de herradura, columnas delgadas, etc.
6. Por lo que llevan sobre la cabeza. También, los musulmanes llevan barba y algunos son morenos.
7. Los que están a la derecha sobre caballos.
   - El de la izquierda que se acerca a los Reyes Católicos sobre caballo.
   - La Alhambra.
   - *Las respuestas variarán.* En ambos casos, los ejéercitos de la contienda están separados y con caballos, los españoles llevan lanzas y los comandantes se acercan. En Velázquez hay más narrativa, puesto que hay una comunicación entre los dos generales.

"Se ha perdido el pueblo mexicatl" (pp. 42-44)

■ □ ■

Comprensión

1. La huida de la gente, la ciudad en llamas y todos llorando por la pérdida.
2. Los españoles han conquistado y destruido su ciudad.
3. A Dios (el dador de la vida).
4. Es allí donde fueron torturados para saber el escondite del tesoro.

Interpretación

1. Un sentido de asombro, de fatalidad, de confusión.
2. Todos, incluso los destinatarios del poema.
   - Recalca el dolor.

Reflexiones AP® Edition, Instructor Resource Manual and Testing Program © Pearson Education, Inc.

3. Porque huyen en vez de luchar.

4. Por un lado se echan la culpa a ellos mismos y luego a Dios.

Cultura, conexiones y comparaciones

1. *Las respuestas variarán.*

   - No, expresa la misma pena y desesperación

   - Que a pesar de las diferencias culturales, en lo más básico de nuestro ser somos todos iguales.

2. *Las respuestas variarán.*

3. *Las respuestas variarán.*

4. En náhuatl y oralmente.

   - Si, porque no suena a la sintaxis del español. Es muy chocante.

   - Imposible. Cervantes dijo que una traducción es igual que ver un tapiz al revés.

5. *Las respuestas variarán.*

Cortés, Segunda *carta de relación* (selección) (pp. 45-50)

■ ☐ ■

Comprensión

1. Al emperador Carlos V, rey de España

   - Informarle del descubrimiento, describir la cultura y el paisaje y explicar su papel en la conquista.

2. Porque a lo mejor nunca había visto volcanes.

3. El jefe supremo de los aztecas. Venía descalzo pero vestido con ricas telas y también rodeado de muchos nobles, con él en el centro. Fue muy hospitalario con Cortés.

4. Porque en las escrituras aztecas se contaba que el pueblo sería castigado por otra gente que venía del este, como los españoles. Moctezuma acepta su destino y ofrece su cooperación a los españoles.

5. Oro, plata, plumas, ricos tejidos.
   Las respuestas variarán. Costumbre de tratar bien a sus huéspedes; apaciguar a los españoles; mostrar su espíritu de cooperación; convencerles que son gente buena, puesto que las otras tribus les habrán contado cosas malas; etc.

6. Está construida sobre un lago; se anda en canoas; las calles son muy anchas y rectas, con puentes; es muy grande; tiene grandes mercados.

Interpretación

1. Deja en claro que todo lo que descubre y conquista lo hace en nombre del rey. Cortés fue un renegado que desobedeció a su comandante y emprendió la conquista por su propia cuenta. Como soldado de Velásquez, este muy bien podría haber tomado responsabilidad de la conquista.

2. Volcán.

- Salvo la zona volcánica de Garrotxa en el norte, no hay volcanes en la Península Ibérica.
- Porque jamás había visto cosa semejante.

3. La realidad europea.
   - Porque son diferentes a las europeas (como las mezquitas); pertenecen al mundo del 'otro'.
   - Sí, mucho.

4. El texto no lo cuenta. Tenía una traductora indígena (en realidad, una concubina de Cortés) muy lista que conocía varios idiomas y aprendió rápidamente el castellano.
   - Era mujer; por eso, para él no tenía importancia.

5. Incluso en obras que no son de ficción, hay un punto de vista e interpretación. No se debe tomar todo por cierto.

6. Las plazas y los mercados.

7. Es capitalista. Hay una abundancia de productos para los consumidores.
   - No. Todo el Renacimiento representa un incipiente capitalismo. La misma empresa de la conquista y colonización del Nuevo Mundo lo era.

8. Los llama gente bárbara que no conoce a Dios y dice que son gente sin razón, a diferencia de los pueblos civilizados de Europa. La ironía es que antes había expresado su admiración por su cultura y había anotado las muchas semejanzas con el carácter de los europeos. También es un malagradecido, puesto que Moctezuma ha sido muy generoso con Cortés.

Cultura, conexiones y comparaciones

1. *Las respuestas variarán.*

2. A los ingleses no les llamó mucho la atención los indígenas y apenas escribieron sobre ellos. La literatura española es muy rica en escritos sobre el contacto entre las dos culturas.

3. No quiere decir nada que le quite importancia y prestigio.

4. Este es el cuadro que aparece en la portada del *Capítulo I* (p. 37). Desgraciadamente, salió muy oscuro y, además, está en blanco y negro. Sería mucho mejor proyectar la imagen del Internet: http://tiny.cc/iuxnew. Parte inferior (de derecha a izquierda): conquista y destrucción de los aztecas, una llama, la labor forzada de los indígenas. En el medio: la evangelización de los indígenas y el castigo de los herejes por la Inquisición, y encima de esa escena los virreyes españoles transportados por las calles; en el centro de todo, un español con una mujer indígena —quizá símbolo del mestizaje; a la izquierda sigue la labor forzada —aquí los indígenas construyendo para los españoles. En la parte superior entre los arcos: escenas variadas de la historia de México, con retratos de personajes significantes particulares.

5. No les convenía a los españoles matar o destruir a los indígenas, puesto que representaban una mano de obra gratis o barata. Además, no todos los españoles estaban allí para sacar el oro; por ejemplo, los misioneros y los historiadores.
   - *Las respuestas variarán.*
   - *Las respuestas variarán.*

6. Porque no fue ocasión de celebrar la conquista, sino para reflexionar sobre sus consecuencias.

Reflexiones AP® Edition, Instructor Resource Manual and Testing Program © Pearson Education, Inc.

Sahagún, "Los presagios" (pp. 50-53)

■ □ ■

Comprensión

1. Cometas.
2. Parece que son rayos eléctricos.

   Eran edificios importantes del gobierno y la religión.
3. Un tipo de *tsunami*.
4. Que tenía que sacar sus hijos de ese lugar.
5. Primero estrellas y constelaciones, pero luego hombres luchando a caballo (él los llama venados porque no conocía el caballo). Parece ser un presagio de la llegada de los españoles.
6. Desaparecían.

Interpretación

1. Fueron dichos en náhuatl y transcritos directamente al castellano, de modo que se oye la sintaxis de otro idioma.
2. Porque no conocen el signo. Por lo visto, nunca habían visto cometas.
3. Caballos.
   - Porque el caballo es animal del viejo mundo.
4. No. La rara sintaxis lo comprueba.
5. No se puede estar del todo cierto si el mensaje se captó tal como quería el emisor.

Cultura, conexiones y comparaciones

1. Usa informantes. El mensaje no pasa por un prisma europeo.
   - Este mensaje es directo; el de Cortés pasa por su punto de vista y compara las cosas con la realidad europea.
2. *Las respuestas variarán.* Quizá porque la indígena ha perdido su cultura (hijos) y lo lamenta.
3. *Las respuestas variarán.*

Lazarillo de Tormes
Prólogo (pp. 53-55)

■ □ ■

Comprensión

1. Tiene cosas importantes que documentar. El que no las entienda, que saque "deleite" de lo que lee. Es importante su declaración, porque explica que su obra se puede leer en dos niveles, que contiene un mensaje encubierto (el subtexto).

Reflexiones AP® Edition, Instructor Resource Manual and Testing Program © Pearson Education, Inc.

2. Para ser honrado y elogiado. Hay alguna ironía en sus palabras, puesto que nunca se ha podido confirmar quién escribió la novela, a pesar de muchos esfuerzos eruditos.

3. En un estilo "grosero". Quiere decir que va a escribir con realismo, sin idealizar.

4. A vuestra merced (que con el tiempo llegó a ser "usted"), un miembro de la clase alta quien merece respeto. No se sabe quien es; a lo mejor son todos los españoles de la época de clase acomodada, porque solo ellos sabían leer.

Interpretación

1. Que se puede luchar con la escritura también. Hay todo un discurso en el Siglo de Oro sobre "las armas y las letras". Piensa en la expresión inglesa: "The pen is mightier than the sword".
   - Sí, porque hay claves que indican que tiene un subtexto encubierto.

2. *Las respuestas variarán.* Para ser irónico, humilde, etc.

3. Como la de cualquiera, con "fortunas, peligros y adversidades".
   - No necesariamente. Dice que algunos que "heredaron nobles estados" (como vuestra merced) han tenido buena fortuna. Otros han tenido que luchar mucho para salir a "buen puerto".
   - Sí, por las mismas razones que se expresaron arriba.
   - *Las respuestas variarán.*

4. *Las respuestas variarán.* Normalmente, los prólogos se escriben después.

Tratado I (pp. 55-64)

■ □ ■

Comprensión

1. En un molino en medio del río Tormes. El padre era molinero y la madre se encontraba en el molino cuando parió.

2. Había robado harina de los sacos (sangría).

3. Estuvo preso y después fue a servir a un caballero y murió en una batalla contra los moros.

4. Fue a servir en un mesón. Su profesión es sospechosa.

5. Le tiene miedo por ser negro.
   - Porque trae comida y otras necesidades a la casa.

6. Había robado para mantener a la familia. Lo azotaron y luego le echaron aceite caliente sobre las heridas. A la madre le dieron cien latigazos y sentenciaron que no podía entrar a la casa del Comendador, donde trabajaba. Separaron a la madre de Zaide.

7. Para que lo cuidara y lo entrenara.

8. El ciego le dice a Lazarillo que hay un ruido dentro de la estatua y que acerque el oído para escucharlo. Al hacerlo, el ciego le da un golpe a la cabeza del niño contra el toro.

9. Se metía monedas de poco valor en la boca, y cuando le daban limosnas al ciego, Lazarillo le daba de las que tenía en la boca, que eran de menos valor.
   - Que es perspicaz.

Reflexiones AP® Edition, Instructor Resource Manual and Testing Program © Pearson Education, Inc.

10. En la jarra le hace un hueco al costado y lo tapa con cera. Cuando la cera se derretía por el calor, chorreaba el vino a la boca de Lazarillo. En el caso de la longaniza, Lazarillo come la longaniza y la sustituye con un nabo.

   - El ciego le arroja la jarra a la cabeza del niño. En cuanto a la longaniza, mete su nariz dentro de la boca del niño, lo cual le hace vomitar. Luego le jaló el cabello y le rasguñó.

11. Cuando el ciego toma las uvas dos a dos en vez de una a una como habían concertado, Lazarillo no dice nada, lo cual le indica al ciego que Lazarillo se las estaba comiendo tres a tres.

12. Le hace correr para saltar sobre un charco de agua, pero al otro lado hay una columna de piedra, contra la cual da con fuerza el ciego. Es semejante a la cabezada que había recibido Lazarillo con el toro de piedra.

Interpretación

1. Lazarillo.

   - No. Es un tal "vuestra merced", que bien pudieran ser todos los españoles de la época que leían la novela, ya que solo los de clases acomodadas sabían leer.
   - Lazarillo también se dirige a "Vuestra Merced", otro personaje de la novela. En la narratología, este personaje receptor se llama un "narratario". Los lectores (nosotros) estamos enterados de todo lo que cuenta Lazarillo.

2. Una operación que hacían los médicos y los barberos que consistía en cortar las venas para sacar la mala sangre.

   - Se cortaba el saco para que saliera un poco de harina.

3. *Las respuestas variarán.* Hasta en los Estados Unidos, hasta hace poco, se prohibía el matrimonio entre blancos y negros. Es particularmente triste en *Lazarillo* porque parece que había amor y cariño en la familia.

4. Se prostituye.

   - Por ejemplo, "padeció mil importunidades". Es un código; se sabe que en los mesones, las mujeres que allí trabajaban eran prostitutas. Ver el Capítulo III de *Don Quijote*.

5. Lazarillo cuenta su historia en un momento después de que ocurrieran los hechos. Su cuento es una reflexión del pasado.

6. *Las respuestas variarán.* Que no se debe confiar en nada y en nadie.

   - *Las respuestas variarán.*

7. El padre y Zaide roban por necesidad, no por ser ladrones; Lazarillo es travieso y el ciego es maligno; al final Lazarillo llora por el dolor y los otros se ríen; etc.

Tratado II (pp. 64-71)

■ □ ■

Comprensión

1. Es avaro y miserable. El autor escribe "no sé si de su cosecha era o lo había anejado con el hábito de clerecía".

2. La avaricia.

3. Lo guarda en un arca con llave.

4. Al menos con el ciego comía; con el clérigo se muere de hambre.

5. Porque van al velorio y allí hay comida.

6. Pasa un día un calderero y Lazarillo le pide que le haga una llave.

7. Fortifica el arca.

   - Teme que sea una rata y luego una culebra.

8. Escucha un silbido por la noche y cree que es la culebra, pero descubre que sale de la boca del niño mientras duerme, y se da cuenta que el silbido es el resultado de dormir con la llave en la boca.

9. Le pega fuertemente con un palo.

Interpretación

1. Es el cuerpo de Cristo en la comunión.

   - No está cumpliendo con sus deberes de "repartir" el pan en el doble sentido de la palabra: para la comunión con Dios y para dar de comer a las masas.

2. Aunque es niño, tiene un sentido moral. Además, piensa de ese modo porque está muerto de hambre.

   - Su padre y su padrastro roban por necesidad, no porque son delincuentes. Lazarillo desea la muerte de otros para poder sobrevivir.

   - Contiene una fuerte crítica social, como el resto de la novela.

3. La manía del cura para proteger su pan, así como la fobia de la culebra, raya en demencia. Sí, hay mucha exageración —sobre todo la obsesión del cura con la culebra.

4. Por medio de los vecinos.

   - Como la primera novela moderna, el autor quiere asegurarse de que todo parezca ser verídico.

Tratado III (pp. 72-83)

■ □ ■

Comprensión

1. Porque parece ser un hombre rico y respetado

2. Lúgubre y completamente vacía, sin muebles.

3. Que ya comió y no tiene hambre.

   - Pide sobras de puerta en puerta.

4. La comparte con el escudero. Es irónico porque se supone que el amo le dé de comer al sirviente.

5. Tiene buen corazón. Es compasivo y generoso.

   - Sabe lo que es sufrir hambre. También el escudero es el único amo que le habla a Lazarillo y le cuenta la historia de su vida. Le trata como un ser humano.

6. La viuda va llorando, diciendo que llevan al difunto a un lugar lúgubre y triste donde nunca se come. Lazarillo cree que llevan al muerto a la casa del escudero.

Reflexiones AP® Edition, Instructor Resource Manual and Testing Program © Pearson Education, Inc.

7. Porque había otro hidalgo en el pueblo como él, y cuando se veían, el escudero de Lazarillo se quitaba el bonete para saludar al otro hidalgo, pero este jamás se quitó el suyo para corresponder la cortesía.

8. Vienen por el alquiler.

9. Creen que Lazarillo sabe dónde está su amo y lo quieren llevar preso. Unas vecinas lo protegen, pero Lazarillo se queda sin amo y casa.

Interpretación

1. Porque el tiempo es un factor importante de la realidad. Para que un texto parezca verdad, hay que incluir un sentido del paso del tiempo.

   "Era de mañana"; "Desta manera anduvimos hasta que dio las doce"; "dio el reloj la una"; etc.

   • Está pensando que se acerca la hora de la comida y que va a comer, porque tiene mucha hambre.

2. No. Sería perder su honor.

   • Porque sabe que no aceptaría por su sentido de honor.

   • La inteligencia y compasión de Lazarillo. Hace que el escudero coma pero sin sentirse deshonrado.

3. No lo entiende.

   • Que es demasiado joven para entender esas cosas.

   • Trata de mostrar lo ridículo que es.

   • *Las respuestas variarán.*

4. Por una parte el código de honor, que entre otras cosas consideraba el trabajo una deshonra. Por otra, la situación económica del país.

   • *Las respuestas variarán.* Es víctima de un código estricto y ridículo.

Tratado IV (p. 84)

■ □ ■

Comprensión

1. Las "mujercillas" que conocía se lo encomendaron.

2. Porque siempre estaba fuera del monasterio andando por la ciudad.

3. No lo pudo tolerar más.

Interpretación

1. El diminutivo las hace sospechosas.

   • Parece que están involucrados en algún negocio secreto.

   • Parece indicar profesión y relación ilícitas.

2. Es ambiguo: dice "perdido en andar fuera", sin decir dónde. La palabra "perdido" también indica unas actividades poco cristianas.

3. La vagina de la mujer, puesto que en el zapato se inserta el pie.

Reflexiones AP® Edition, Instructor Resource Manual and Testing Program © Pearson Education, Inc.

- Por el subtexto: porque lo penetró, le quitó su "virginidad".
- El cura lo abusó sexualmente.

4. Que estamos limitados a saber solo lo que el narrador quiere o puede contarnos.

5. Es algo tan penoso e ignominioso que no lo puede confesar o no lo quiere revelar.

Tratado VII (pp. 90-98)

■ □ ■

Comprensión

1. Teme el peligro. Forma parte del aburguesamiento de Lazarillo.

2. Como pregonero: anda por las calles dando noticias y los precios del vino.

3. Los dos tienen negocios seglares.

4. Lo casó con una criada suya e hizo que alquilaran una casa junto a la suya.

5. Que ella es su amante y que le ha parido hijos.

6. Porque Lazarillo debe preocuparse por los beneficios que saca y no por el que dirán. Esta interpretación materialista del código de honor va completamente en contra de los valores morales vigentes.

7. Con la llegada de Carlos V a Toledo para celebrar Cortes (1538-1539).

Interpretación

1. Desde el presente.

2. Es buen amigo del arcipreste.
   - Que también es un sinvergüenza.

3. Empieza a preocuparse en ahorrar dinero para su vejez, obtiene un oficio, se casa, etc.

4. Porque el arcipreste nunca lo niega, y le dice a Lazarillo que no debe preocuparse en nada menos que en el beneficio que él mismo saca.
   - No le importa ser un cornudo; no quiere que su mujer se vuelva a alterar; solo quiere el bienestar y la tranquilidad; no le preocupa el honor.
   - Ha visto con el escudero las ramificaciones perjudiciales del código.

5. Que el país también vive una mentira.

Cultura, conexiones y comparaciones

1. *Las respuestas variarán.*

2. *Las respuestas variarán.*

3. Pinta una realidad muy opuesta: hay pobreza, mestizaje, delincuencia, corrupción, hipocresía, etc. Hay moros en España (aunque se supone que se hayan exiliado en 1492) y hay mestizaje entre moros y cristianos —no es un país de sangre pura; el clero es corrupto y hasta anticristiano; todos son egoístas y ninguno obra como buen cristiano; hay un código ridículo de honor que se opone a la lógica y crea holgazanería; etc.

Reflexiones AP® Edition, Instructor Resource Manual and Testing Program © Pearson Education, Inc.

4. No, los otros países eran bastante homogéneos.
   - *Las respuestas variarán.* Dependería de la clase social. No se toleraría entre los nobles.
5. Sí. Lo pinta pobre pero con mucha dignidad.
6. *Las respuestas variarán.*
7. *Las respuestas variarán.*

Pardo Bazán, "Las medias rojas" (pp. 94-98)

■ □ ■

Comprensión

1. Leña.
   - Para preparar la comida para su padre.
2. Que llevaba medias rojas.
   - Se enojó por la vanidad de su hija.
   - Sarcásticamente y con una mentira de cómo consiguió el dinero para comprarlas.
3. Va a emigrar al Nuevo Mundo.
   - Está cansado; está muy pegado a la tierra.
4. Le dio una terrible paliza.
   - Le dislocó una retina y le rompió un diente.
   - Ildara no pudo realizar su sueño de buscar una mejor vida.

Interpretación

1. Como "el señor amo". No había buena distribución de la tierra en España; los campesinos trabajaban la tierra arrendándola de unos ricos nobles que poseían casi toda la tierra por herencia.
2. Patatas, grelos (una verdura) y habas (judías).
   - No, pone las judías sin remojar y corta las papas con descuido.
   - Parece que no le tiene gran cariño, o es muy ensimismada y no le importa.
3. Para Ildara representan su libertad, pero el padre no aprecia esa independencia. Él ve las medias rojas como símbolo de vanidad.
   - Normalmente, los hombres emigraban primero y luego traían a su familia. Ildara va sola. No tiene quien la reciba cuando llegue. Es muy probable que tenga que prostituirse. Ese podría ser el simbolismo oculto de las medias rojas.
4. La uña de ámbar del padre; el cigarrillo encendido; la lumbre del fuego; las medias rojas.
5. La descripción "puntos brillantes . . . radiación de intensos coloridos sobre un negro terciopeloso" produce un contraste brusco. Suaviza en algo para el lector el acto horripilante.
6. La hoguera alumbra con su lumbre; el dolor la causa ver un cielo estrellado. Los signos se transforman: el dolor también 'alumbra' sus ojos, pero con otro sentido que la palabra previa, que se refería a su alegría por un nuevo porvenir.

Reflexiones AP® Edition, Instructor Resource Manual and Testing Program © Pearson Education, Inc.

7. De los hechos. El narrador no interpreta, solo cuenta.

   - Es completamente objetivo. Aunque parece que siente lástima por Ildara, a la misma vez se vislumbra una crítica cultural por abandonar al padre.

8. Algunos lo criticarían y otros dirían que tenía razón porque Ildara no debería emigrar sola y abandonar a un padre viejo y solo.

Cultura, conexiones y comparaciones

1. La situación económica de no ser los dueños de su tierra; tener que emigrar para ganarse la vida; la brutalidad de la vida del campo, que produce un tipo como el tío Clodio. La descripción poética del cachete, sin embargo, no es típico del Naturalismo.

2. No puede casarse hasta que se case la mayor, y tiene que permanecer soltera para cuidar a la madre hasta que muera.

   - Sí, en los valores vigentes, la hija no debe abandonar al padre.

3. *Las respuestas variarán.*

4. El sistema de los minifundios y de las encomiendas.

5. Canadá (francés e inglés) y México (español y varios idiomas indígenas, como el quiché en el sur).

Martí, "Nuestra América" (pp. 98-106)

■ □ ■

Comprensión

1. *Las respuestas variarán.* Gente que cree que son los únicos dueños de su mundo y que hacen lo que les da la gana. La palabra "aldeano" también implica una gente que nunca ha salido de su lugar y no conoce el mundo.

2. Se refiere a los muchos conflictos que resultaron en Hispanoamérica a raíz de la independencia. Entre estos conflictos entre países vecinos, se destacan la Guerra de la Triple Alianza contra Paraguay y, en este caso, la Guerra del Pacífico, entre Chile, Perú y Bolivia, en que Chile le quitó a Bolivia su única salida al mar así como un territorio rico en recursos naturales.

3. Se avergüenzan de sus orígenes indígenas o simplemente que no son de la metrópoli europea. En vez de identificarse como hispanoamericanos, prefieren imitar las costumbres europeas. Martí ve esto como peligroso para el futuro desarrollo del continente.

4. Martí apela en este ensayo por la creación de un gobierno y una sociedad que refleje la realidad histórica particular de la región y no de uno que sea imitación del mundo europeo, que él piensa es muy distinto.

   - Que en las universidades, en vez de solo aprender la historia europea, que se aprenda la historia hispanoamericana así como otras materias que puedan contribuir al desarrollo del continente.

5. Él dice que el indio y el negro han sido ignorados por completo por los criollos y que esto no puede ser. Hay que aceptar a Hispanoamérica como un mundo muy

pluralista, y sus gobiernos tienen que incluir a todos. Otra vez aconseja abandonar los modelos europeos para resolver los problemas de América.

6. Martí ve los comienzos de una hermandad entre los pueblos y las razas: "se empieza . . . a probar el amor". Se empieza a darse cuenta de que hay que crear algo nuevo y no imitar lo viejo.

7. Se refiere a que Estados Unidos no entiende Hispanoamérica, y además tiene un plan imperialista; hay que tener cuidado.
   - La guerra de agresión de los EE. UU. contra México en 1848 para apoderarse de mucho de su territorio.

Interpretación??

1. • Es plural, él se considera parte de esa totalidad e incluye a sus receptores también.

2. • los hispanoamericanos que no conocen más que su propio mundillo y se creen el dueño de él
   - los que quieren luchar para quitarle territorio a sus vecinos
   - hombres inmaduros, impacientes y egoístas que lo quieren todo rápidamente sin llegar a los nueve meses para un nacimiento normal
   - la lucha entre la razón y las creencias religiosas
   - El natural es el hombre puro que vive, labora, produce, goza, sufre y muere. El otro es el falso, que por tener una educación se siente superior sin producir nada beneficioso.
   - los Estados Unidos
   - la diferencia entre lo importado de Europa y lo autóctono; prendas de lujo en contraste con prendas de trabajo
   - los Estados Unidos
   - los Estados Unidos

3. Aliteración:"la tundan y talen las tempestades" contiene la repetición de los sonidos dentales de t/d); metáfora: "no podemos ser el pueblo de hojas, que vive en el aire, con la copa cargada de flor, restallando o zumbando" o sea, el pueblo es un árbol.; símbolo: "los gigantes que llevan siete leguas en las botas" representan las amenazas que el pueblo ignora, quizá la potencia de los Estados Unidos); polisíndeton: o/o/ e y/y en la primera oración; símil: "una idea enérgica, flamea . . . como la bandera mística del juicio final".

4. "Trincheras de ideas valen más que trincheras de piedra".
   "Con un decreto de Hamilton no se le para la pechada al potro del llanero". Lo que diga el presidente de EE. UU. Alexander Hamilton no va a parar que el jinete espolee a su caballo. O sea, América seguirá adelante, quiéralo los EE. UU. o no.
   (egoístas, se sienten inferiores a los europeos y tratan de imitarlos, pero se sienten muy superiores a los mestizos, indígenas y africanos),
   (son ignorados por completo, son trabajadores),
   (un impedimento al desarrollo),
   (por buenas que sean, no sirven para Hispanoamérica),
   (trabajan para su propio beneficio, no para el pueblo),
   (algo bueno que se tiene que reconocer),
   (toda sociedad debe ser regida por ella),

Reflexiones AP® Edition, Instructor Resource Manual and Testing Program © Pearson Education, Inc.

(una amenaza para Hispanoamérica, por su política imperialista y sentido de superioridad),

(tiene esperanza, pero también es una visión bastante romántica).

6. Martí aspira a los valores más altos del ser humano: justicia, amor, hermandad, igualdad social, dignidad, fortaleza, etc.

7. Porque no sugiere un plan específico para resolver los problemas. Lo único concreto es que no se puede importar ideas. Confía en la bondad del hombre para resolver los problemas.

Cultura, conexiones y comparaciones

1. Escribe con mucho perífrasis y tropos; no emplea el estilo directo del ensayo. Emplea muchos elementos propios de la poesía (aliteración, repetición, etc.). A pesar de su mensaje a favor del hombre natural, este ensayo es muy cosmopolita, como la mayoría de las obras modernistas, en el sentido de que se dirige a un grupo muy selecto de personas educadas y bien informadas, capaces de entender sus códigos y tropos.

2. Los EE. UU. ya había provocado una guerra con México en 1848, que resultó en la expropiación de la mitad del territorio mexicano.

   • Los dos ven los EE. UU. como un peligro, y hasta usan la misma metonimia del tigre para referirse a la nación del norte. Darío ya había visto la intervención de los EE. UU. en Cuba y Panamá; Martí, con mucha razón, se lo imaginaba.

   • En 1898 EE. UU. intervino en Cuba y en 1902 en Panamá para apoderarse del canal.

3. Lincoln se negó a luchar en la Guerra con México porque dijo que era una guerra de agresión y por lo tanto ilegal. Mark Twain publicó artículos que se circularon por todo el país, criticando el imperialismo de los Estados Unidos en la Guerra con España.

4. *Las respuestas variarán.*

5. Uno muy famoso es el siguiente:

Cultivo una rosa blanca
en junio como enero
para el amigo sincero
que me da su mano franca.

Y para el cruel que me arranca
el corazón con que vivo,
cardo ni ortiga cultivo;
cultivo la rosa blanca.

Darío, "A Roosevelt" (pp. 107-111)

■ □ ■

Comprensión

1. Roosevelt.

   • Ahora es los EE. UU.

2. Como invasor y destructor de los indígenas; guerrero, pudiente, hábil.

Reflexiones AP® Edition, Instructor Resource Manual and Testing Program © Pearson Education, Inc.

3. Idioma, religión, espíritu poético.

4. Los norteamericanos son de almas bárbaras, y los latinos tienen altos valores cristianos.

5. Que Dios está al lado de Hispanoamérica.

Interpretación

1. No tiene ni rima ni número fijo de sílabas. El profesor Raúl Rodríguez Betancourt ha observado, sin embargo, que el poema sí contiene una "o" aguda al final de los versos pares.

2. Los Rocky Mountains (los Rockies, las Montañas Rocosas); la Sierra Madre; los Andes.

   • Crea una metonimia en la que las cordilleras son vértebras. Cuando hay un terremoto en los Rockies, se siente el temblor por todo Hispanoamérica.

   • Es otro símbolo de violencia e influencia.

3. En la bandera de Chile hay una estrella y en la de Argentina un sol. Darío dice que el sol se levanta y la estrella brilla.

4. Le da la bienvenida a los inmigrantes que entran por Ellis Island.

   • "Give me your tired, your poor, your huddled masses, yearning to breathe free".

   • Lleva una antorcha para alumbrarles el camino a los nuevos inmigrantes. En vez de algo positivo, en la obra de Darío la antorcha se convierte en un instrumento para ayudar a los EE. UU. a conquistar Hispanoamérica.

5. Eres (6 veces), que (4 veces), la América (4 veces). Conmueven, como notas repetidas en una sinfonía.

6. Dice que tiene raíces grecorromanas, de las grandes civilizaciones indígenas y de la civilización española cristiana.

   • No.

   • Encuadra con la preocupación de muchos intelectuales hispanoamericanos de principios del siglo XX que los EE. UU. quería tomarse Hispanoamérica.

7. Los hispanoamericanos.

8. Cazar, domar, asesinar, invasor, conquista, riflero, "en donde pones la bala el porvenir pones", temblor que estremece, "rugir del león", "férreas garras".

Cultura, conexiones y comparaciones

1. Es un poema de compromiso político, una fuerte crítica de los EE. UU. Sin embargo, emplea una nueva forma —el verso libre. O sea, sigue experimentando.

2. *Las respuestas variarán.* Es un país rico y pudiente. Se considera la policía del mundo e interviene en los conflictos del extranjero.

3. Si se mira la estadística, el mismo número de gente en EE. UU. que en México asiste a la iglesia.

4. *Las respuestas variarán.*

5. *Las respuestas variarán.* Los dos critican el imperialismo yanqui, aunque Neruda acusa también el imperialismo económico de las grandes empresas.

6. *Las respuestas variarán.*

Reflexiones AP® Edition, Instructor Resource Manual and Testing Program © Pearson Education, Inc.

García Lorca, "Prendimiento de Antoñito el Camborio"
(pp. 111-114)

■ □ ■

Comprensión

1. A Sevilla.
2. Es moreno, con cabello rizado. Va vestido como un dandi y anda con garbo.
   - De una clase gitana más bien alta.
3. Al mediodía.
   - Los limones pueden ser el sol brillando y reflejándose en el río.
4. Por haber robado limones.
   - No.
5. Porque no se conforma al carácter macho-gitano, no lucha, en vez de navaja lleva vara de mimbre, etc.

Interpretación

1. Es un romance; versos de 8 sílabas; asonancia en o/o en versos pares.
   - No
2. No se dan detalles. ¿Por qué prenden a Antonio? ¿Por qué sospechan que no es gitano legítimo? El oidor tiene que intuir. Hay diálogo, lo cual contribuye a su aspecto dramático.
3. La vara puede ser para espolear al caballo.
   - El ritmo de los primeros versos; la vara de mimbre puede ser para espolear al caballo; la brisa es "ecuestre".
4. Su hombría. Nota que cuando lo llevan preso no lleva su vara.
   - Fruta típica de la región andaluza, como las aceitunas. Los gitanos tienen mala fama de ladrones, pero Antoñito solo toma limones.
   - No. En el romance moderno de Lorca, hay muchos elementos de vanguardia.
5. Al atardecer.
   - "El día se va despacio".
   - Brillante, reflejando el sol.
6. *Las respuestas variarán.*
7. El ritmo lento, con comas, de la tercera estrofa. Además, usa el adverbio "despacio". Las aceitunas "aguardan" la noche.
   - *Las respuestas variarán.* Gitano, Sevilla, aceitunas y olivares ("montes de plomo"), imágenes de la corrida de toros, los guardias civiles, etc.
8. Luchadores, más macho.
   - Les habría pegado cinco cuchilladas por insultar a su familia.
   - *Las respuestas variarán.*
9. Parece que va bien vestido, anda solo, no lleva navaja, se deja prender sin luchar, etc.

10. *Las respuestas variarán.*

11. No. "Antoñito" lo hace parecer más simpático y menos ofensivo. Es el diminutivo que se emplea para los chicos de la familia.

Cultura, conexiones y comparaciones

1. La injusticia social; el peligro de estereotipar, etc.

2. *Las respuestas variarán.*

3. *Las respuestas variarán.*
   - Es el hombre más rico del mundo. No conforma al estereotipo de los mexicanos.
   - *Las respuestas variarán.*

4. *Las respuestas variarán.*

5. *Las respuestas variarán.*

6. *Las respuestas variarán.* Hay varias fotos. Los biógrafos de Lorca dicen que Lorca se había enamorado de Dalí y este lo rechazó.

Guillén, "Balada de los dos abuelos" (pp. 119-122)

■ □ ■

Comprensión

1. Abuelo negro: lanza, tambor, pie desnudo, torso pétreo, selvas húmedas, gongos, buques de esclavos (velas, galeón); abuelo blanco: gorguera, armadura, ojos azules, aguaprieta de caimanes, mañanas de coco, costas vírgenes, abalorios.

2. El abuelo negro dice "me muero"; El abuelo blanco dice "me canso". Uno es mucho más fuerte y desesperante.
   - El blanco grita, el negro calla. Uno manda porque tiene poder, el otro no tiene más remedio que obedecer.

3. La de los negreros.

4. Es la ley del universo ("bajo las estrellas") que todos los hombres son iguales: sueñan, son del mismo tamaño, tienen el mismo orgullo, la misma esperanza, etc.
   - Significa también "comprender", "contener", "incluir".

5. Los dos se abrazan; el poema termina con "cantan", lo cual simboliza la armonía.

Interpretación

1. Octosílabo.
   - Asonancia en e/o, pero hay varios patrones.
   - Sí. No tiene un número fijo de sílabas ni una rima fija. Sin embargo, la mayoría es octosílaba, de modo que se acerca al verso blanco.

2. Es un verbo más fuerte; implica protección, seguridad, así como honrar al que se lleva.

3. Gorguera y la armadura guerrera.
   - Los galeones ardiendo en oro, las costas vírgenes, etc.

4. Es algo de poco valor. Los españoles vinieron para enriquecerse con el oro, pero muchos no lograron su sueño.

5. 38: Los latigazos sangran; los ojos, como las venas, están entreabiertos por el cansancio.

   • Sufre.

   • No puede descansar; siempre tiene que trabajar.

   • Algo positivo, el comienzo de un nuevo día. Para el negro no hay la posibilidad de un nuevo día, y por eso se subvierte la imagen positiva en negativa.

6. Los esclavos, después de cortar caña todo el día, por la noche lo procesaban en el ingenio. O sea, Guillén crea una bella yuxtaposición entre "madrugada" y "atardecer", ambos con significantes aflictivos. El esclavo no tiene descanso.

7. Es como el final de una sinfonía que, en vez de llegar a un *crescendo*, se va disminuyendo el sonido.

   • Da a entender que en Cuba hay (o habrá) una armonía entre las razas por medio del mestizaje.

8. "gordos gongos sordos", "bajo las estrellas altas", "Qué de barcos" y "cantan / cantan".

Cultura, conexiones y comparaciones

1. En los signos de sufrimiento, opresión y desigualdad

2. *Las respuestas variarán.*

3. En los EE. UU. nunca se reconoció el mestizaje, a pesar de que existió en abundancia. Fue un tema de tabú total. En Hispanoamérica las relaciones carnales y los matrimonios entre razas se da desde el principio.

4. *Las respuestas variarán.*

   • Porque una meta primordial de la Revolución Cubana era erradicar el racismo en Cuba.

   • *Las respuestas variarán.*

   • *Las respuestas variarán.*

5. No, muchos moros eran de raza negra porque en la conquista islámica del norte de África varias tribus de africanos fueron convertidas al islam.

6. *Las respuestas variarán.*

7. *Las respuestas variarán.*

Dragún, El hombre que se convirtió en perro (pp. 126-133)

■ □ ■

Comprensión

1. Actor 1.

   • Son narradores, cosa rara en una pieza de teatro.

2. Está desempleado por mucho tiempo y está desesperado.

- El de un perro de guardia.
- Que cuando haya una vacante lo colocarán.
- Siempre hay una razón por no colocarlo y siempre tiene que ver con el esfuerzo de las grandes empresas a producir más con menos gente.

3. Es muy difícil al principio, pero se va acostumbrando hasta que llega a ser perro en realidad.

4. Con horror.
   - Teme que vaya a parir un perro.

5. La esposa tendrá que mudarse a un apartamento con varias otras mujeres; él le traerá la carne que le dan de comida, porque se ha acostumbrado a comerse solo el hueso.

6. Lo muerde.

Interpretación

1. No.
   - El teatro no tiene una voz que le explique las circunstancias al público. Los mismos personajes tienen que dar a conocer la circunstancia directamente, sin intervención alguna. La narrativa tiene la ventaja de tener un narrador que puede, si quiere, dar explicaciones.

2. Alguien se los contó.
   - Uno en que no se puede confiar, porque no sabe los detalles de primera mano.

3. *Las respuestas variarán.*
   - *Las respuestas variarán.*
   - *Las respuestas variarán.*
   - Esencialmente, el discurso es el mismo del de *Don Quijote* con los molinos de viento; el significante del signo depende de su circunstancia y se tiene que interpretar dentro de su sistema de significación.

4. Hay muchos: cuando el Actor 1 va a besar a su mujer y en vez la muerde. Es un tipo de humor negro, porque provoca risa ante una situación de aflicción.

5. Hay mucha compasión humana. La preocupación de los amigos por el "perro", la preocupación del marido por el bienestar de su esposa, etc.

6. Estrecha, apretada.
   - Significa estrechez económica y apuros, conflictos, etc.

7. Deja el trabajo de perro de guardia, pero el único otro puesto que puede encontrar es también de perro de guardia. En el mundo del trabajo, la experiencia es lo que cuenta.

8. No hay orden cronológico ni lugar fijo. La pieza puede moverse en cualquier dirección de tiempo y espacio. Ni los actores son fijos, puesto que cambian constantemente de papel. Ya se ha comentado lo del narrador.

Cultura, conexiones y comparaciones

1. *Las respuestas variarán.*

2. Pérdida de puestos de trabajo; la gente tiene que aceptar puestos inferiores a su preparación; algunos tienen que emigrar, separándose de su familia; etc.

3. *Las respuestas variarán.*

4. En los tres el problema surge de un caso de desproporción de riqueza y, como causa de ello, injusticia social.

5. Es un buenísimo ejemplo, puesto que el hombre se convierte en perro (se deshumaniza). Claro que Ortiga se refiere a un arte que corta los vínculos entre el ser humano y su mundo y Dragún se refiere a cómo el capitalismo moderno deshumaniza el hombre, quitándole su dignidad.

6. *Las respuestas variarán.*

Rivera, *...y no se lo tragó la tierra* (selecciones) (pp. 133-138)

■ □ ■

Comprensión

1. De tuberculosis.

2. Vomita, tiene calambres.
   - Picadura del sol.

3. El hijo no cree que Dios ayuda a los pobres, pero la madre mantiene su fe.

4. Nueve años. Se cree ya grande; se debe notar que la familia no se lo prohíbe.
   - Se asoleó.

5. No entiende por qué le ha pasado esto al hermanito. Está muy enojado y maldice a Dios. Se echa a llorar.

6. Posiblemente porque se había desahogado la noche anterior. Hay un nuevo día. Su padre y hermanito están mejores.

Interpretación

1. La muerte de sus tíos, la enfermedad de su padre, el mucho y difícil trabajo, etc.
   - Maldice a Dios; se queja de su mala fortuna; no entiende por qué su familia, que es tan buena, sufre tanto. Parece que sí le alivia.

2. *Las respuestas variarán.* Es una familia muy unida que muestra mucho amor y cariño para con sus miembros.

3. Es conflictiva. No cree que Dios se preocupa por ellos. No duda totalmente en su existencia.
   - *Las respuestas variarán.* Es creyente; solo está frustrado que Dios no los ampara aunque son buena gente.

4. La madre lo implica al principio cuando dice: "Como él no anda allí empinado, se le hace muy fácil".

5. El hijo dice que el único descanso para ellos es la muerte, y la madre lo confirma. También, al ser gente pobre y sin importancia, cuando mueran, nadie se dará cuenta.

6. Contiene mucho diálogo.
   - Es un narrador omnisciente pero completamente objetivo. Nunca da su opinión. Lo único que sabemos es lo que aprendemos acerca de los personajes.

7. *Las respuestas variarán.* Quizá el amor que existe en la familia ayuda a que el hijo no pierda la esperanza.

Cultura, conexiones y comparaciones

1. El hijo usa "usted", la madre "tú".. Es cultural. Ocurre en muchas regiones de Hispanoamérica.
2. *Las respuestas variarán.*
3. Cree en los escapularios.
   - La diferencia de edad, el contacto con la cultura norteamericana, etc.
   - *Las respuestas variarán.*
   - *Las respuestas* variarán.
4. *Las respuestas variarán.*
5. *Las respuestas variarán.*
6. *Las respuestas variarán.*
   - Los niños participan en la cosecha.
7. Son mexicoamericanos que organizaron a los trabajadores ambulantes y lucharon por conseguir mejores salarios y condiciones de trabajo. Son héroes porque hicieron mucho para despertar la conciencia de los norteamericanos a la situación apremiante de estos trabajadores.

"La noche buena" (pp. 138-143)

■ □ ■

Comprensión

1. Varias posibilidades: siempre se los promete y nunca cumple; los niños se quejan cada vez más; ella quiere que sus hijos se asimilen, que reciban regalos de Santo Clos en vez de don Chon.
2. Son pobres; tienen otras necesidades, como ahorrar para ir a Iowa para la cosecha.
3. Que se pierda como le pasó en otra ocasión.
4. Mucho ruido, miedo, pánico, etc.
5. Porque salió sin pagar por los juguetes.
6. Un compadre estaba allí y avisó al esposo; este trajo un notario que explicó la enfermedad que sufre su mujer.

Interpretación

1. Quieren juguetes de Santo Clos, no de don Chon ni de los reyes magos.
2. El intenso amor hacia sus hijos.
   - El sacrificio que hacen los padres para sus hijos.
3. Quiere decir que los mexicanos son gente marginada en los EE. UU.; no se les permite integrar con el resto de la sociedad.

Reflexiones AP® Edition, Instructor Resource Manual and Testing Program © Pearson Education, Inc.

4. No tienen el dinero para una consulta médica o psiquiátrica para saber de qué sufre y cómo remediarlo.

5. Que todos los mexicanos son ladrones.
   - El peligro del estereotipo y del racismo.

6. La tiran al piso y le ponen esposas. Ella se desdobla; se ve fuera de sí. Se movía los labios, pero "ni ella sabía lo que decía". Es el recuerdo de sus hijos que le hace volver a la realidad, y entonces empieza a llorar.
   - Desde la perspectiva de María. El narrador se desdobla como la protagonista y ve las cosas como las ve ella y también como las ven los demás.

7. Se llama "noche buena" pero no es tan buena para los pobres y los enfermos. María quiere que sea buena, pero las circunstancias se lo prohíben.

Cultura, conexiones y comparaciones

1. *Las respuestas variarán.*

2. Santo Clos, Crismes, Kres, traques (*tracks*), etc.
   - *Las respuestas variarán.*
   - *Las respuestas variarán.*

3. Es la fecha en que los reyes magos le llevaron regalos al niño Jesús.

4. *Las respuestas variarán.*

Reflexiones AP® Edition, Instructor Resource Manual and Testing Program © Pearson Education, Inc.

LA CONSTRUCCIÓN DEL GÉNERO: MACHISMO Y FEMINISMO

THEME RATIONALE

TIPS FOR USING THE "ORGANIZING CONCEPTS"

- El machismo
- Las relaciones sociales
- El sistema patriarcal
- La sexualidad
- La tradición y la ruptura

By reading the "organizing concepts," you can deduce that this chapter deals with works depicting the roles of men and women in society in different periods in history, their relationships through the centuries, and the transformations that have occurred.

Consequently, for this theme I have chosen the following works:

Edad media

In Juan Manuel's "De lo que aconteció a un mozo que casó con una mujer muy fuerte y muy brava," we clearly see that strong-willed women have no place in society, and when they appear, they must be tamed. That is a theme behind this popular medieval fabliau, which we see repeated in Shakespeare's *The Taming of the Shrew*. However, it would be a mistake not to point out that Juan Manuel foregoes that as his main theme and substitutes one dealing with showing your true stripes from the beginning. Therefore, there is a divide between what the reader expects the theme to be and what the explicit author says it is. Furthermore, at the end we discover that the father-in-law is actually henpecked by his wife, showing that strong women did exist in medieval Iberia.

Siglos XVI y XVII

Although Tirso's famous *El burlador de Sevilla* can fit many categories, I have chosen to include it here because of its depiction of the role of women and the relationship between the sexes in Golden Age Spain. In order to seduce women, Don Juan must promise matrimony, because a woman during this period who had lost her virginity—albeit by no fault of her own—was not eligible for marriage and had no alternative but to enter a convent. Don Juan's actions, therefore, destroy women's lives. And he has no compunction about dishonoring women, because he feels that his noble status and his superiority as a man gives him the privilege. Women have absolutely no voice in this period. They are pawns of men, and the king marries them off to whomever he wishes, without their consent. The play also has somewhat of a feminist theme, as two of the dishonored women, on their way to seek justice from the king, say "¡mal haya la mujer que en hombres fía!"

Sor Juana's redondillas, "Necios hombres que acusáis," dovetail very nicely with the *Burlador*, as Sor Juana complains precisely about the same topic: men force women to have sex, and when they do, the women are no longer eligible for marriage. It would be a mistake, however, to see Sor Juana as a modern feminist, as so many have done. She merely criticizes a common practice of her time and condemns men for doing it. She never calls for the equality of the sexes.

Época moderna

Alfonsina Storni's poem "Peso ancestral" focuses on women having to bear the weight of a family's suffering, on top of many other responsibilities. It's a pity that "Tú me quieres blanca" has been dropped from the reading list (although included in this anthology), because it's an excellent example of a feminist point of view.

Belisa, the heroine of Allende's "Dos palabras" is truly a modern woman, in that she struggles to survive alone without the help of any man, and through her ingenuity, cleverness, and wits manages to control men and even transform them.

Other works that can be read under this theme:

Although the *Lazarillo* does not have major female characters, it does illustrate the difficulties women endured in sixteenth-century Spain: Lazarillo's mother is torn from her Moorish partner and must prostitute herself to survive, and Lazarillo's wife, in order to endure, becomes the mistress of a priest.

The Golden Age *carpe diem* sonnets address woman's beauty, but not their character or condition, which in itself shows the role of women in that period. And centuries later, Bécquer, in poems such as "Volverán las oscuras golondrinas," depicts women as the object of desire and insensitive to men's needs.

Pardo Bazán's "Las medias rojas" fits perfectly well into this theme. Ildara's dream of seeking a new life and tearing herself away from her father's brutality are thwarted. Women, consequently, are still dominated by men.

Morejón's "Mujer negra" can easily be read within this context. She describes, in a universal and epic manner, what black women have endured through the centuries. It suggests, however, that the key to emancipation is a Communist revolution like Cuba's.

García Lorca's *Bernarda Alba* would have been included in this chapter except for the inclusion of the *Burlador*: it would have made for two long plays in a single chapter. Ironically, there are no men on stage in this play, yet they are the forces that govern the lives of the characters. Sexuality (or the lack of it) is the *modus operandi* that controls the women. Bernarda plays a masculine role in this play, as it is she, governed by a rigid sense of tradition, who denies her daughters the freedom for which they long—similar to Ildara's father in "Las medias rojas."

Julia de Burgos's poem depicts the frivolous, conventional modern woman and suggests that she, as a poet, is able to overcome that stereotype.

Possibilities for organizing concepts:

TEMA	AUTORES
LA CONSTRUCCIÓN DEL GÉNERO	
El machismo	Juan Manuel, *Burlador*, Sor Juana, Pardo Bazán, Burgos, Storni, Allende
Las relaciones sociales (y cómo contribuyen a la construcción de género)	Juan Manuel, *Lazarillo*, *Burlador*, Sor Juana, Pardo Bazán, Bécquer, Burgos, Storni, *Bernarda Alba*, Rulfo, Rivera, Allende

Continuéd

El sistema patriarcal	*Burlador*, Sor Juana, Pardo Bazán, Storni
La sexualidad	Juan Manuel, Gracilaso, *Burlador*, Góngora, Burgos, Lorca (*Bernarda*)
La tradición y la ruptura	*Burlador* vs. Allende [ruptura]; *Burlador*, Sor Juana y Lorca (*Bernarda*) [continuación de la tradición]

TEACHING SUGGESTIONS

TIPS FOR TEACHING LITERARY HISTORY

1. Arabs introduced into Spain the tradition of the exempla, or apologue (known in Spanish as the *apólogo*), which, as its name suggests, were short tales with a message, tied together by a frame story. The work best known in the West of this Eastern narrative tradition is *One Thousand and One Nights*, compiled between 750 and 1258. Another such collection, *Calila e Dimna*, from the eighth century, was ordered translated into Castilian by the king Alfonso X in the mid-thirteenth century. It was through this translation and others like it that the medieval narrative form of apologue was introduced to Europe. Alfonso X's nephew, Juan Manuel, wrote the most famous collection of such tales in Spanish, entitled *El conde Lucanor*; like its models, it uses a frame story to tie the tales together. This represents but one example of the many ideas of Arab culture introduced into Europe via Spain.

2. The Golden Age *comedia* is one of the great periods in the history of European theater. Its rules were formulated by the great Lope de Vega in the late sixteenth century, and the model remained popular with Spanish audiences until the middle of the eighteenth century. The comedia is contemporary with Shakespeare's Elizabethan theater, and while there are similarities between the two dramatic traditions, they are also quite different. Both are "romantic" in nature, because they break with the classical tradition of the unities of time, place and action, but the Spanish comedia also fused comedy and tragedy by allowing characters of the upper classes to mingle with those of the lower stratas, thus combining "grave" matters with "trivial" activities. This achieved a much more "democratic" theater, appealing to the upper and lower classes with themes and discourses relevant to both. It is often stated that the common people delighted in the complex plots of the comedia, while the nobles took note of the ideological underpinnings as well as its sophisticated poetry. Students can easily see these features reflected in the *Burlador*. The convoluted plot and Don Juan's exploits pleased one audience, while the deeper theological discourse was intended for another audience.

3. Sor Juana's poem "Hombres necios que acusáis" represents the pinnacle of Latin American colonial literature. It can illustrate a number of interesting features: that by the seventeenth century, colonial Mexican culture was at a level of development capable of producing a figure of this intellectual magnitude and urbanity; (2) that strong cultural ties existed between Spain and its colonies, as Sor Juana is clearly a disciple of Spanish baroque poets such as Góngora and Quevedo; (3) that a woman was able to achieve such notoriety in Latin America in that period, for Sor Juana's greatness is not a recent discovery—she was renowned in her own time!

4. Alfonsina Storni, the well-known Argentinian poet, is part of a generation of writers that flourished after the height of *Modernismo* and are sometimes referred to as "posmodernistas." While much of Modernismo poetry is art for art's sake, the next generation was more committed to social causes and expressed their personal

anguish as well as feminist issues in their works. In this generation, women poets began to appear in larger numbers (e.g., Gabriela Mistral, Delmira Agustini, Juana de Ibarbourou, and Julia de Burgos), and it is no wonder that their poetry coincides in time with the efforts of the suffragettes in the United Kingdom and the United States, who, in the early decades of the twentieth century, were seeking women's rights.

TIPS FOR TEACHING LITERARY ISSUES

1. Versification:
   - *Redondilla*: Sor Juana's poem is the best example of a popular Spanish verse form called the "redondilla": verses of 8 syllables with a consonantal rhyme scheme of ABBA, CDDC, etc. The redondilla form is also used extensively throughout the *Burlador*, as in the opening scene of the play in the dialogue between Don Juan and Isabela.
   - *Verso suelto (o blanco)*: Blank verse has a structured meter but no rhyme scheme. Most of English verse is blank (e.g., Shakespeare), but this is far less common in Spanish language versification. "A Julia de Burgos" is a good example. It is written in rarely used *eneasílabos* (9 syllables), albeit with great freedom and poetic license, but it has no regular rhyme scheme. Even though the final two stanzas have consonantal rhyme, this does not influence its blank-verse character.
   - *Polimetría*: This refers to the use of multiple verse forms, and the *comedia* is an excellent example. As stated above, the play begins in *redondillas*, but in verses 121–190 the scheme changes to the *romance* form in e-a, etc.

2. Dramatic structure: The *Burlador* can provide an opportunity to discuss a number of terms specific to theater.
   - *Estructura interior* vs. *estructura exterior*: The "exterior" refers to the structure that the dramatist has designed for the plot and what the audience sees on stage. But the dramatist envisions a far greater scenario, which may have echoes in the play but are not part of what is performed. For instance, what do we know of Don Juan's actions prior to the beginning of the play? The audience does not see that in the structure of the play, but we hear echoes in statements such as those of Don Pedro, Act I, lines 77–93, which imply that Don Juan's father had sent his son to Naples from Seville because he had deflowered another noblewoman there.
   - Five parts of a play, according to Aristotle:
     1. *Prótasis o introducción* (The cause of the problem): Don Juan's seduction of Isabela sets the tone for what's to come.
     2. *Epítasis o desarrollo* (The development of the problem): Don Juan's seduction of other women, following the pattern of the introduction.
     3. *Peripeteia o clímax* (When things reach a boiling point): After killing Don Gonzalo, Don Juan must flee.
     4. *Catábasis o descenso o anticlímax* (The consequences of his actions): The finding of Don Gonzalo's tomb and the fear that begins to invade Don Juan.
     5. *Catástrofe o desenlace* (The final resolution): Don Juan's condemnation.
   - Lope made this model much simpler. He said the first act presented the problem, the second complicated it, and the third resolved it.

Reflexiones AP® Edition, Instructor Resource Manual and Testing Program © Pearson Education, Inc.

3. Rhetorical figures:

- *Aliteración*: There is a famous example of this in Sor Juana's poem. In stanza 14, there is a strong repetition of the /p/ sound: la que peca por la paga, / o el que paga por pecar.

- *Retruécano*: In Spanish, this term is often used as a catchall phrase to refer to sophisticated plays on words. The *culteranismo* style within the Baroque is often associated with it. An excellent, albeit difficult, example may be found in stanza 13 of "Hombres necios." Here the play is with "de rogada" and "de caído." As prepositional phrases they imply "by being begged" and "on his knees" (the typical position of begging). But as adjectives they have other meanings: "derogado" means the disregard for established moral norms, while "decaído" refers to decadence. Consequently, the poem paints of picture of a man on his knees seducing a woman, but the Baroque subtext implies a morally decadent man trying to convince a woman to follow his own decadent path.

  Another, less complex *retruécano* may be found at the end of the scene in verses 579–596 of the *Burlador*, when Don Juan says "hay de amar a mar / una letra solamente."

- *Anáfora*: There is an overstressed example in verses 26–28 of "A Julia de Burgos," where the three lines all begin with *el*.

POSING ESSENTIAL QUESTIONS FOR DISCUSSION

The College Board recommends posing general questions in each chapter as a means of understanding the thematic connections between the works. The ones they propose are merely suggestions; you can come up with your own questions. I think these questions are an ideal way of reviewing the theme before going on to the next chapter. Here are some questions for "La construcción del género" and the works that might be mentioned to address them:

1. ¿Cómo revela la literatura los cambios en la percepción de los géneros masculino y femenino?

- *El burlador* y las redondillas de Sor Juana ambos muestran claramente cómo la mujer tiene que llegar pura al matrimonio si quiere casarse y mantener su reputación. Casi tres siglos después, García Lorca, en *La casa de Bernarda Alba*, expresa la misma idea. Esta comparación implica la continuidad de la tradición. Se debe notar que los tres autores parecen criticar esta tradición: Tirso con lo que parece ser una crítica de don Juan por destruir las vidas de las mujeres y Sor Juana criticando irónica y severamente a los hombres. Lorca, claro está, aborda el tema con mayor complejidad y profundidad, al ser una mujer (Bernarda Alba) la que impone —de un modo intransigente— la tradición. No se debe pasar por alto que el apólogo de Juan Manuel contiene también un subtexto de la importancia de la virginidad, con la sangría que se hace de los animales.

- Otro ejemplo de la continuidad de la tradición de la mujer oprimida y dominada por el hombre se ve en "Las medias rojas" de Pardo Bazán, donde un padre, por sus acciones violentas, impide que su hija busque una mejor vida independiente como mujer.

2. ¿De qué manera han servido los factores socioculturales como instrumentos de cambios (o no) en la representación de los géneros?

- El hecho de que las mujeres antes del siglo XX carecieron de opciones para ser independientes dio como resultado que muchas no tuvieran más alternativas que prostituirse. Esto es lo que ocurre con la madre de Lazarillo y es implícito en las redondillas de Sor Juana.

- En el Siglo de Oro, la mujer es solamente el objeto del deseo del hombre. Es infrecuente ver heroínas o mujeres liberadas (aunque sí las hay representadas). Los sonetos *carpe diem* de Garcilaso y Góngora se refieren solamente a la belleza de la mujer y el consejo que deben gozar de la juventud. Implícito en este tema está la noción que la mujer debe entregarse a los deseos del hombre, y así estos sonetos se unen al tema principal del *Burlador* y Sor Juana.

- En el siglo XX la situación cambia. Primero con la lucha por el sufragio de las mujeres y luego con el movimiento feminista, la situación de la mujer se transforma. Belisa en "Dos palabras" busca su propio camino en la vida (precisamente para no tener que prostituirse) y sale adelante. Con la fuerza de sus palabras hasta tiene la capacidad de transformar una sociedad y embrujar a los hombres. De un modo semejante, Nancy Morejón pinta a la mujer con fuerzas e independencia, a causa de los cambios y las posibilidades que le ha dado la Revolución Cubana.

- Sin embargo, las viejas costumbres y la moralidad todavía oprimen a las mujeres, como se ve claramente en *La casa de Bernarda Alba*. Y Alfonsina Storni se queja de la tradición del hombre empedernido y que la mujer es la que tiene que llevar todo el sufrimiento.

3. ¿Cómo ha cambiado la representación de lo femenino a lo largo de la historia de la literatura? (Ver pregunta esencial número 2).

- Irónicamente, en "De lo que aconteció a un mozo que casó con una mujer muy fuerte y muy brava" hay pruebas explícitas que había mujeres fuertes y esposos sumisos en la Edad Media. Al final del apólogo, el yerno del héroe, al ver el éxito que este ha tenido matando animales para dominar a su mujer, decide degollar un gallo, pero la mujer le dice: "Pues ya de nada te valdrá matar cien caballos; antes tendrías que haber empezado, que ahora te conozco." O sea, ya no la podrá dominar porque ella sabe cómo es—un marido dócil, sin voluntad propia.

- Aunque "La siesta del martes" no contiene un mensaje feminista tan fuerte como "Dos palabras", sí pinta a una madre fuerte, digna y determinada que jamás critica o lucha por sus derechos como mujer y madre.

CAPÍTULO II: LA CONSTRUCCIÓN DEL GÉNERO: MACHISMO Y FEMINISMO

Juan Manuel, "De lo que aconteció a un mozo que casó con una mujer muy fuerte y muy brava" (pp. 149-154)

■ □ ■

Comprensión

1. Si un amigo suyo debe aceptar matrimonio con una mujer rica pero de muy mal carácter.

2. Mejorar su situación económica.

3. Que le traigan agua para lavarse las manos.
   - Los mata de un modo brutal.

4. Le obedece.

5. Mata un gallo que no le obedeció.
   - Que el truco no vale porque ella ya sabe cómo es su esposo, y sabe muy bien que no la va a matar.

6. Hay que dominar a las mujeres fuertes y de mal carácter. IMPORTANTE: Hay una errata grave en el libro en la moraleja de la página 152. Debe ser "Si al principio no te muestras como eres / NO podrás hacerlo cuando tú quisieres."
   - Que uno se debe dar a conocer desde el principio. Son moralejas muy diferentes (cada una depende de la perspectiva del lector).

Interpretación

1. Un narrador.
   - El autor explícito. No es la misma persona.
   - El autor implícito parece concebir un discurso sobre las mujeres insoportables, y el autor explícito escribe otra moraleja.
   - El conde.
   - Emisión original → escuchada por Patronio → emitida de nuevo por Patronio al conde → el conde escribe su interpretación. Este problema forma la base de toda la narratología moderna, y ya era preocupación de la narrativa en el siglo XIV y se verá repetido en *Don Quijote*: ¿quién narra la historia?; ¿qué limitaciones tiene el narrador?; ¿cuáles son sus fuentes de comunicación; ¿se puede confiar en lo que dice?. En fin, ¿cuál es la realidad?

2. Los esposos hacen el amor por primera vez.
   - El hombre toma el papel activo en el acto carnal.
3. Como virgen.
   - Toda la sangre de los animales.
4. No.
   - Que sí hay mujeres fuertes que no se dejan dominar por sus esposos.
5. La necesidad de domar y dominar a la mujer.
   - Que te debes dar a conocer desde el principio.
   - Cada destinatario interpreta los códigos de un modo diferente.
6. *Las respuestas variarán.* Un momento humorístico ocurre cuando el padre del novio va a pedirle al padre la mano de la novia. Este se asombra y hasta le aconseja que no lo haga, porque su hija mataría al esposo, y si no lo matara, el pobre esposo llevaría una vida tan mala que hubiera preferido la muerte. ¡Vaya padre! Ciertamente la matanza de los animales es hiperbólico (sumamente exagerado), pero provoca mucha risa.

Cultura, comunicación y conexiones

1. De un sultán que mata a una de sus mujeres cada noche, pero una se salva contando cuentos que no concluyen hasta el siguiente día.
2. *Las respuestas variarán.* Quizá que los moros son bárbaros.
   - "Romance del rey moro" y *Lazarillo de Tormes*
3. Podían ser fuertes y no dejarse dominar por sus esposos.
   - No.
4. *Las respuestas variarán.*
5. *Las respuestas variarán.*
6. *Las respuestas variarán.*
7. *Las respuestas variarán.*

Tirso de Molina , *El burlador de Sevilla*, Jornada primera (pp. 158-174)

■ □ ■

Comprensión

1. Da gritos.
   - Manda a prender al duque.
2. Lo trata con mucho respeto y le recuerda los lazos familiares.
3. Muy atractivo y con 'pico de oro'; astuto.
   - Ha cometido un delito, engañando a una mujer noble y en el mismo palacio del rey.
   - Porque es su sobrino.

Reflexiones AP® Edition, Instructor Resource Manual and Testing Program © Pearson Education, Inc.

4. Quiere casar a su hija, doña Ana, con don Juan.

5. Es una pescadora que se jacta de su pureza y de su falta de necesidad de una pareja.
   - Se enamora enseguida.
   - Que don Juan vaya a engañarla (le ha prometido matrimonio).
   - Definitivamente.

6. Le da pena, a pesar de su frustración porque la ama.

Interpretación

1. Que han estado juntos otras veces.
   - El matrimonio.

2. Don Juan se los recuerda a su tío, y este lo perdona dándole la oportunidad de escaparse.

3. No.
   - Porque el rey de España lo había desterrado por otro delito con una mujer.
   - *Las respuestas variarán.*

4. *Las respuestas variarán.* Porque está enamorada con el duque y no quiere que nadie sepa que ha tenido relaciones con don Juan. Nota sus palabras en los versos 232-235.
   - Un matrimonio con el duque.

5. Don Juan ha deshonrado a Isabela. Si el duque se entera que Isabela no es pura, no querrá casarse con ella, pero el único modo de recobrar su honra es el matrimonio.

6. Que las mujeres son inconstantes, débiles. (En los versos 155-56 también dice que las mujeres son inconstantes).

7. Siete sílabas (heptasílabo) con rima asonante en o/a.

8. Dice que a ella no le afecta el amor como a otras chicas; desdeña a los hombres. Sin embargo, se enamora enseguida de don Juan.

9. *Las respuestas variarán.*

10. Un ejemplo fácil está en los versos 523-524 (ojalá que en vez de tanta agua hubiera vino).

11. Dice que ha salido del infierno y ahora está en el cielo.
    - Es un tipo de paranomasia: dos palabras que suenan iguales pero tienen sentidos completamente distintos. Es también un juego de palabras (retruécano).
    - *Las respuestas variarán.*

12. Riman en consonancia, y cada palabra tiene un sentido diferente; "aliento", por ejemplo, es "respiración" y también "esfuerzo y valor". O sea, para una persona que apenas respira, don Juan tiene mucho valor y es muy atrevido.
    - Además de tempestad, significa "angustia".
    - Don Juan llega frío del mar (casi muerto), pero sus palabras de amor son muy ardientes.
    - Don Juan hace el amor ("fuego"), pero luego se huye sin cumplir su promesa ("frío").

13. Sí.
    - No está segura que don Juan cumplirá su promesa.
    - Son desiguales socialmente y los hombres son traidores. Sí, tiene razón ella.
    - El amor puede vencer las diferencias sociales. Sí, son convincentes.

Reflexiones AP® Edition, Instructor Resource Manual and Testing Program © Pearson Education, Inc.

14. Que lo que hace don Juan es un pecado mortal.
    - . Sí se da cuenta, pero no le importa. Piensa que es joven y que le queda tiempo para enmendarse.
15. La pasión del amor.
    - Su mundo y su reputación se destruyen porque ha perdido su honra.
    - Quemar, abrasar, llamas, rayos ardientes, etc.
16. - Tiene que aguantar el dolor del amor que le tiene para Tisbea.
    - No puede confesar su amor.
    - Ella siempre lo ha desdeñado.
    - No.
    - Sí. Quiere buscarla para protegerla.

Jornada segunda (pp. 174-186)

■ □ ■

Comprensión

1. Quiere casar a Isabela con don Juan.
    - Ya había propuesto una boda entre Ana y don Juan.
    - Va a casar a doña Ana con Octavio.
2. Es el mejor amigo de don Juan.
    - De sus aventuras amorosas.
3. Que está enamorado de doña Ana.
    - El rey quiere casar a Ana con Octavio.
    - Que su padre la quiere casar con don Octavio y ella no quiere. La solución es entregarse carnalmente a Mota, y le da la hora en que se han de juntar esa noche. Hay que entender que, una vez deshonrada Ana, el duque Octavio no querrá casarse con ella. La única solución a su deshonra es casarse con el hombre que la deshonró (en este caso, el marqués).
    - Gozar a doña Ana, haciendo el papel de Mota.
    - Le dice que la cita es a la medianoche en vez de las once.
    - Mota se la presta para que vaya disfrazado como él al encuentro con una prostituta.
4. Su padre, don Gonzalo.
    - Arrogancia. Le dice que se quite del medio, que como es más joven lo podrá matar.
    - Mata a Gonzalo.
    - A Mota, porque llega a la hora citada, después de que don Juan se ha huido.
5. Una boda de aldeanos (Aminta y Batricio).
    - Se indigna, pero no puede hacer nada por su inferioridad social.
    - Está muy honrado que alguien del estatus social de don Juan asista a la boda de su hija.

Reflexiones AP® Edition, Instructor Resource Manual and Testing Program © Pearson Education, Inc.

Interpretación

1. No le importa.
   - Hay varias posibilidades. No puede negarse al deseo del rey. También, no le importa con quién se case mientras sea una 'buena pieza'.

2. Que perdone a su hijo.
   - Sí.
   - En los versos 55-65.

3. Viejas, enfermas y feas.
   - No. Son viejitas. Además, estos dos jóvenes no necesitan gozarlas ya que tienen otras opciones.

4. Hay muchos, pero son difíciles. Uno que se puede entender con más facilidad es el de los versos 227-233. Llaman a una "vieja" y ella se imagina que la llaman "bella".

5. Que comete un gran error confesándoselo a don Juan.
   - Sí.
   - Infringe la ley de la amistad, que en ese tiempo era sagrada.

6. De consejero.
   - Con mucho enojo. Le recuerda que su papel es servir y no aconsejar.

7. Que Dios lo va a castigar por sus delitos.
   - "Tan largo me lo fiáis". (Queda mucho hasta la muerte).
   - Lo repite a lo largo del drama. Don Juan cree que como es joven, no va a morir pronto y tiene tiempo para enmendarse.

8. Mota le da su capa a don Juan para que engañe a Beatriz. Parte del engaño es no pagarle por los servicios.
   - Ahora don Juan tiene el disfraz de Mota para poder entrar en la casa de Ana.

9. El asesinato.
   - No obedecer a su padre; aprovecharse de su rango social; engañar a las mujeres; mentir, prometiéndoles matrimonio sabiendo que lo que hace las destruye; infringe las leyes de la amistad; mata a don Gonzalo; etc.

10. Le quita la novia a Batricio descaradamente.
    - Su estado social y la protección que siempre ha gozado de sus familiares.

11. Quizá para aliviar la tensión dramática.

Jornada tercera (pp. 186-202)

■ □ ■

Comprensión

1. Celoso, insultado, avergonzado, etc.
   - Que ya se ha gozado de Aminta.

2. Con matrimonio, pero antes resalta su estatus social.

- Depende del punto de mira, pero es bastante desconfiada. Don Juan le dice que será castigado si no cumple su palabra de matrimonio.
- Huye, como siempre.
3. A pedir venganza al rey y restituir su honra. Va triste, prometiendo defender su honor hasta la muerte.
4. A pedir venganza también.
5. La tumba de don Gonzalo, a quien don Juan había matado.
   - Con indiferencia y sin miedo.
   - Que vaya a su venta a cenar.
6. Sin sorpresa alguna.
   - Está espantado.
7. Le dan de cenar culebras y alacranes. Cantan una canción con referencia a los errores de don Juan, y este por primera vez siente miedo. Don Gonzalo le toma por la mano y don Juan siente que se abrasa y pide confesión, pero es demasiado tarde. Don Juan se abrasa en el infierno.
8. Quiere casar a Isabela con don Juan y a Ana con Octavio.
9. Confesión y absolución
   - Es demasiado tarde; nunca en vida intentó remediarse. "Es justicia de Dios: quien tal hace que tal pague".
10. Resuelve muchos problemas. Ahora puede casarse Mota con Ana y Octavio con Isabela.

Interpretación

1. Que la mujer es inconstante.
   - El rey y Octavio.
   - La campana "anuncia". En este caso, disemina la deshonra de una mujer. Si la campana está quebrada, suena mal; si la mujer está 'quebrada' (sin honra), suena mal también.
2. El matrimonio.
   - Aminta le hace prometer matrimonio y él responde que si no cumple se irá al infierno, lo cual es lo que pasa al final.
   - Sí.
3. Están junto a un mar tempestuoso y el cielo es oscuro y ominoso.
   - Es un reflejo del estado de ánimo de las dos mujeres.
   - *Las respuestas variarán.*
4. "El convidado de piedra"
   - Por el verso 476.
5. Se altera y hasta le da una bofetada a Catalinón para que se calle. O sea, sabe que lo que dice su criado es verdad, pero don Juan lo prefiere ignorar.
   - No tiene pavor y le habla al muerto con atrevimiento y arrogancia.
   - Como algo normal. No se altera.
   - Que sintió miedo cuando don Gonzalo le dio la mano.
   - Su complejidad como personaje; también una persona que aparenta ser valiente pero que en realidad no lo es. Esto se puede llevar un paso más: todo lo que hace don Juan es para encubrir deficiencias de su persona.

Reflexiones AP® Edition, Instructor Resource Manual and Testing Program © Pearson Education, Inc.

6. Le ha dado una bofetada.

7. El duque quiere vengarse de don Juan, el hijo de don Diego, y este defiende a su hijo.

   - Les manda callar y parar la altercación. Pero al final el rey, como don Diego, defiende la nobleza de la sangre de don Juan.

   - Obedece al rey y tiene que casarse con doña Ana.

8. Expresa indignación; como caballero noble siempre guarda su palabra de honor. Es irónico porque hasta ahora don Juan jamás ha cumplido su palabra.

   - Dice que ya le ha dado su palabra. En este caso sí cumple, pero al cumplir le cuesta la vida.

9. Tener que representar a un espectro y luego unas llamas en las cuales se abrasa don Juan.

   - *Las respuestas variarán.*

10. Porque sus fechorías son muchas y graves.

    - Que una simple confesión no te absuelve de los pecados. Se necesita un auténtico arrepentimiento.

    - *Las respuestas variarán.*

11. *Las respuestas variarán.*

Cultura, conexiones y comparaciones

1. Para empezar, no hay unidad de tiempo, espacio y acción. La obra se mueve con facilidad en el tiempo y en el espacio, y contiene varias tramas simultáneas.

2. Normalmente, los enredos y la acción son para el vulgo: Isabela ama a Octavio, pero es deshonrada por don Juan; el rey quiere casarla con don Juan para resolver el problema, pero ya ha ofrecido a don Juan como esposo para doña Ana; cambia de parecer el rey y ahora quiere casar a Isabel con Octavio. Pero doña Ana ama al marqués de la Mota, y para poder casarse con él lo invita a un encuentro romántico nocturno, etc. Estos son los enredos que deleitaban al pueblo. Los nobles entendían mejor la belleza de la poesía y el discurso religioso que la pieza engloba.

   - Los nobles creen que por su estatus tienen poder sobre los villanos, los cuales tienen que aguantar los abusos de los nobles. Los labradores, sin embargo, piensan que también tienen honor por su pureza de sangre.

3. Las nobles son más cautelosas —callan su deshonra, mientras las labradoras la anuncian a todo el mundo. Pero los dos grupos sienten la pérdida del honor.

   - Con mucha pena. Se queja de las mujeres. No quiere vivir deshonrado y engañado. Está dispuesto a quitarse de en medio y dejar que don Juan se quede con Aminta.

   - Que es un sentido de honor desmesurado. Sin embargo, el sentido de honor entre los nobles es aún mayor.

4. En muchos casos, estos valores se ven dramatizados por valores opuestos. Por ejemplo, cuando don Juan mata a don Gonzalo, claramente el público lo criticaría por su falta de respeto a los mayores. Igual ocurre con la confianza que existe entre amigos —confianza que don Juan viola con Mota, etc.

   - Ver arriba.

   - Lo criticarían, tanto los nobles como los villanos.

   - *Las respuestas variarán.*

5. • No. Hoy el discurso feminista se trata de la igualdad completa entre los géneros. El discurso del Siglo de Oro solo se quejaba de algunos de los problemas que enfrentaban a las mujeres, sobre todo la necesidad de mantener su virginidad.

   • La queja de las mujeres: "mal haya la mujer que en hombres confía".

6. *Las respuestas variarán.*

   • Del ridículo código de honor. La mujer perjudicaba su honor con solo crear la sospecha de que había infringido el código. Las mujeres no tienen la libertad de elegir una pareja; son títeres manipuladas por el rey, sus padres, sus hermanos, etc.

   • Que son livianas y no se puede confiar en que conserven su honor.

7. *Las respuestas variarán.* Ópera: *Don Giovanni* de Mozart; poesía: *Don Juan* de Lord Byron; teatro: *Don Juan in Hell* de George Bernard Shaw; cine: *Don Juan DeMarco* con Johnny Depp y Marlon Brando.

8. *Las respuestas variarán.*

9. Representa la escena cuando Tisbea encuentra a don Juan a la orilla del mar después del naufragio.

Sor Juana, "Hombres necios" (pp. 203-206)

■ □ ■

Comprensión

1. Que los hombres quieren mujeres vírgenes, pero que constantemente las están forzando y burlando.

   • El acto carnal.

2. Relaciones carnales.

   • Que sea virgen.

   • Critican lo que ellos mismos causan.

3. *Las respuestas variarán.*

Interpretación

1. Ocho (octosílabo).

   • Consonante.

   • ABBA.

   • Cuartetos octosílabos con rima consonante en ABBA.

2. "Arguye de inconsecuencia el gusto y la censura de los hombres, que en las mujeres acusan lo que causan". Se dan ejemplos.

   • Dio muchos ejemplos y usó una lógica rigurosa.

   • No tiene desarrollo, pero sí una organización rigurosa. Hay una introducción (estrofas 1-3), una serie de ejemplos y una conclusión (estrofa 17).

3. 2: bien/mal; 3: gravedad/liviandad; 5: Thais (mujer liviana)/Lucrecia (mujer fiel); 7: favor/desdén; 8: admitir/no admitir; 12: malas/buenas; etc.

Reflexiones AP® Edition, Instructor Resource Manual and Testing Program © Pearson Education, Inc.

4. Goloso, egoísta, inmaduro, falta de razón.

5. 2: sin igual; 3: con gravedad; 13: de rogada, de caído; etc.

6. La prostitución.

   • Participar en la prostitución, siendo la prostituta o el cliente.

   • *Las respuestas variarán.* Aliteración bilabial muy pronunciada.

7. Lo físico.

   • Lo mundanal (en oposición a lo espiritual).

Cultura, conexiones y comparaciones

1. *Las respuestas variarán.* No te serena, pero sí conmueve. Te desorienta al principio por su excesiva ornamentación, pero luego uno se va tranquilizando y apreciando su belleza. También contiene mucho movimiento, lo cual contribuye a su capacidad de inquietar.

2. De rodillas. También le corteja de rodillas.

   • La mujer derogada es la que infringe las leyes morales —pero por ser rogada por el hombre— y el hombre decaído es el que es decadente pero también de rodillas.

3. *Las respuestas variarán.*

   • No.

   • De los hombres que seducen a las mujeres y luego quieren casarse con vírgenes.

   • La mujer deshonrada no podía conseguir pareja y tendría que entrar en un convento.

   • El matrimonio.

   • *Las respuestas variarán.*

4. *Las respuestas variarán.*

5. *Las respuestas variarán.*

6. Otelo se vuelve paranoico cuando Iago le siembra la semilla falsa de la infidelidad de su mujer. Otelo termina matándola a pesar de que es inocente.

7. Al penetrar a los animales con su espada, sangran.

   • Lazarillo se burla de todos los valores falsos de la España imperial, incluso sus nociones ridículas sobre el honor.

8. *Las respuestas variarán.*

Storni, "Peso ancestral" (pp. 216-217)

■ □ ■

Comprensión

1. Llorar.

2. Veneno.

3. Que tiene que soportar todo ese sufrimiento sola.

Interpretación

1. Once (endecasílabo).
   - Cinco (pentasílabo)
   - e/o en versos pares

2. No se sabe. Se puede intuir que el yo lírico es mujer y que se dirige a un hombre. Se ha especulado también que es la voz de una hija hablando con su madre.

3. Los hombres son empedernidos y las mujeres son muy sensibles.
   - La mujer.
   - Siempre ha sido así; se ha pasado de generación a generación.

4.
   - Algo tan ligero con algo tan pesado y fuerte (mujer versus hombre).
   - Dos líquidos. Uno es para desahogarse y el otro es para suicidarse.
   - Como la lágrima es pequeña, la boca también lo es.

5. La repetición.
   - Le quitan el sentido de poesía —parece prosa.
   - Valores fónicos agradables.

Cultura, Conexiones y Comparaciones

1. Tiene una estructura fija y expresa los sentimientos íntimos de la poeta.

2. Es un estereotipo de muchas culturas que el hombre debe ser fuerte y no llorar.

3. La madre de Lazarillo; las mujeres del Siglo de Oro en el poema de Sor Juana; Ildara en "Medias rojas"; las hijas de Bernarda Alba; María en "Noche Buena".

4. *Las respuestas variarán.*

5. *Las respuestas variarán.*

Reflexiones AP® Edition, Instructor Resource Manual and Testing Program © Pearson Education, Inc.

Por la blanda arena
Que lame el mar
Su pequeña huella
No vuelve más
Un sendero solo
De pena y silencio llegó.
Hasta el agua profunda
Un sendero solo
De penas mudas llegó
Hasta la espuma.

Sabe Dios qué angustia
Te acompañó,
Qué dolores viejos
Calló tu voz,
Para recostarte
Arrullada en el canto
De las caracolas marinas
La canción que canta
En el fondo oscuro del mar
La caracola.

Te vas Alfonsina
Con tu soledad
¿Qué poemas nuevos
Fuiste a buscar?
Una voz antigua
De viento y de sal
Te requiebra el alma
Y la está llevando
Y te vas hacia allá
Como en sueños

Dormida, Alfonsina
Vestida de mar.

Cinco sirenitas
Te llevarán
Por caminos de algas
Y de coral
Y fosforescentes
Caballos marinos harán
Una ronda a tu lado.
Y los habitantes
Del agua van a jugar
Pronto a tu lado.

Bájame la lámpara
Un poco más.
Déjame que duerma
Nodriza, en paz.
Y si llama él
No le digas nunca que estoy.
Di que me he ido.

Te vas Alfonsina
Con tu soledad.
¿Qué poemas nuevos
Fuiste a buscar?
Una voz antigua
De viento y de sal
Te requiebra el alma
Y la está llevando
Y te vas hacia allá
Como en sueños
Dormida, Alfonsina
Vestida de mar.

Allende, "Dos palabras" (pp. 238-246)

■ □ ■

Comprensión

1. Vendedora de palabras. Viaja por todo el país y se establece en los mercados con cuatro palos y un toldo.

2. Se echó a andar hacia el mar, y no paró hasta llegar.

3. Vio una hoja de un periódico y le preguntó a un hombre qué eran "las patitas de moscas" en el papel.
   - Las palabras eran gratis.
   - Aprendió a leer y se memorizó el diccionario.

4. Por un coronel que necesitaba a alguien que le escribiera un discurso.

5. Desea una vida más cómoda. Está cansado de la vida difícil de guerrero.

6. Que le escriba un discurso.
   - No sabe leer.
   - Un peso. Dos palabras

7. Tiene gran éxito.
   - Lo hacen mucho más dócil.
   - *Las respuestas variarán.* Ve que está perdiendo el empuje para ser presidente.

8. El Mulato la secuestra de nuevo y se la lleva al Coronel. Los dos se miran y el Coronel se transforma.

Interpretación

1. La pobreza, la guerra civil, líderes que quieren poder para mejorar sus vidas, líderes incultos, etc.
   - El Coronel quiere conquistar al pueblo democráticamente, pero el Mulato quiere un golpe de estado.

2. No, pero tiene una atracción salvaje.
   - Un nuevo empezar.
   - Brutal, autoritario, salvaje.
   - Lo suaviza y domina.

3. Que las palabras no son propiedad de nadie.
   - Descarta las cacofónicas y las voces floridas, oscuras, sobre usadas, etc., para quedarse solamente con las exactas y las capaces de tocar el cerebro y el corazón.
   - Tiene al pueblo embelesado —hasta se aprenden frases del discurso de memoria.
   - Escoge las más justas.
   - Conmoverlos.
   - Es la misma palabra con las sílabas al revés. Es autorreferencial porque se trata de una escritora (Isabel) que escribe sobre otra escritora (Belisa).

4. La capacidad del amor, así como la de la literatura, de transformar al individuo.

5. *Las respuestas variarán.*
   - Su estilo de humor se basa en la hipérbole —todo es una exageración improbable.

6. *Las respuestas variarán.*
   - *Las respuestas variarán.*
   - *Las respuestas variarán.*
   - Hace al lector un participante en el acto de leer, ya que tiene que poner su parte e intuir.

Cultura, conexiones y comparaciones

1. Se asemeja mucho al realismo mágico —un realismo improbable o imposible pero con todos los elementos de un relato realista.

2. *Las respuestas variarán.*
   - Contador o fiscalista.
   - Empresas de publicidad.
   - No siempre.
   - *Las respuestas variarán.*

Reflexiones AP® Edition, Instructor Resource Manual and Testing Program © Pearson Education, Inc.

3. *Lazarillo*, "Las medias rojas", "La mujer que llegaba a las seis", etc.
   - Que tiene pocas opciones.
   - Que es muy astuta, inteligente, determinada, etc.
4. Es la más independiente. Al ser huérfana y no estar casada, no tiene que obedecer a un hombre. Se niega a prostituirse para salir adelante.
5. Kate (*The Taming of the Shrew*), Lady McBeth, Jane Eyre, Ann Shirley (*Anne of Green Gables*), Janie Crawford (*Their Eyes Were Watching God*), etc.
6. *Las respuestas variarán.*
   - *Las respuestas variarán.*
   - Dos: Borges y Fuentes.
7. *Las respuestas variarán.*

EL TIEMPO Y EL ESPACIO:
TEMA Y TÉCNICA

THEME RATIONALE

TIPS FOR USING THE "ORGANIZING CONCEPTS"

- El *carpe diem* y el *memento mori*
- El individuo en su entorno
- La naturaleza y el ambiente
- La relación entre el tiempo y el espacio
- El tiempo linear y el tiempo circular
- La trayectoria y la transformación

The "organizing concepts" provided by the College Board are aimed at helping students see and understand the subthemes related to the major theme. By reading these "concepts," you begin to see that "El tiempo y el espacio" refers not only to the theme of time and space (e.g., *carpe diem* and *memento mori*), but also to the ways they are used in literature (e.g., *tiempo linear* and *tiempo circular*). The chapter also draws our attention to how characters are products of their times and natural surroundings. The last "concept" requires us to see the development of these themes over time.

Consequently, for this theme I have chosen the following works:

Siglo de Oro

Garcilaso's "En tanto que de rosa y azucena" is a "classical" Renaissance sonnet with a *carpe diem* theme. It contains all of the characteristics of the Latin theme: extolling the beauty of the woman, an erotic subtext, and the warning to seize the day, as time will rob her of her beauty and seductiveness. Góngora's poem "Mientras por competir con tu cabello" conforms to the same pattern but is a product of the Baroque. The emphasis in Góngora is much more in death than just growing old. He combines the theme of *memento mori*, with its dark, cynical undercurrent. It also includes much more *culteranismo*, making the sonnet more convoluted owing to its Baroque heritage. These two poems form a nice contrast for comparing the Renaissance to the Baroque.

Quevedo's "Miré los muros de la patria mía" also deals with the passage of time and its destructive effects, but with a much more serious topic: the declining power of Spain. The seventeenth century saw Spain's power within Europe decline dramatically, and while its arts flourished like never before, the signs of social and moral decay were evidenced everywhere. And Quevedo depicts that decadence and decay in the Baroque subtext of his famous sonnet.

Época moderna

"En una tempestad" by the Cuban poet Heredia is a masterful depiction of time and space. It describes the onslaught of a hurricane, capturing its rain, wind, thunder, and lightening with an impressive array of rhetorical devices. The poem not only describes space, but it also makes the reader feel a part of it.

Bécquer's famous "Volverán las oscuras golondrinas" is structured on concepts of time and space. It describes the coming of spring, with the return of the swallows and the blooming honeysuckle—the perfect setting for lovers. Of course, the poem turns heartbreaking as the poem's female character turns a deaf ear to the male's sincere love. The poem could easily have been part of "La construcción del género," as it shows the ungrateful woman rejecting the sincere love of the man—something she has no right to do. It is the theme of so many boleros, tangos, and rancheras.

"El sur" by Borges could fit various categories, but I have chosen to include it here because of its clever play with time and space. Prior to the twentieth century, time was mostly linear, but with the advances of science (relativity in particular) and psychology, it became clear that there were many forms of time, one being psychological time. While we may think that we live in chronological time, we are constantly traveling back and forth with our memories and our dreams and aspirations. A second in real, chronological time may be a short period of time, while in the mind, an entire lifetime can be condensed into that short space. This is what happens to Dahlamnn; he most probably dies on the operating table, but in the short seconds before his death, he imagines another death—one more romantic and Argentine, despite his boring library job and his Germanic heritage.

In a similar way, Cortázar, in "La noche boca arriba," also plays with time and space, but in a different manner. Here the dying patient moves between two worlds: one we recognize as our own, and the other is the alien world of the Aztecs. In the modern world he is convalescing after an operation, and in the other realm he is being chased by Amerindians for human sacrifice to the gods. In both, he faces death. The clever play with time and space, however, is that the contemporary world that the reader imagined as the setting of the story is actually the time and space being imagined by the dying Amerindian about to be sacrificed. As in Borges, countryman Cortázar depicts time as an unstable construct linked to individual points of view.

Unlike the experimentation of these two writers, Nancy Morrejón's poem "Mujer negra" takes a chronological perspective as she depicts the plight of black woman from Africa—from slavery to emacipation and ultimately to the happiness that is brought about by the Revolution. The poem more fittingly belongs in "Las sociedades en contacto," but I have chosen to include it here because of the temporal contrast with the two Argentine short stories.

In "Como la vida misma," Rosa Montero creates a dense space in a very short span of time. She describes a traffic jam and the narrator's psychological state of mind in minute detail. The reader enters the space of the narration, because we have all had a similar experience and had similar reactions.

Other works that can be read under this theme:

One should keep in mind that every author must create setting and place his or her works within a particular time frame. As a result, any literary work can be viewed within this perspective.

Time is an essential component in the *Lazarillo* as we see the young boy develop into a man. In the third *tratado*, the author moves the plot along very slowly, to emphasize Lazarillo's hunger and the wait for the squire to feed him.

The *Burlador* shows a very free handling of time and space, as is typical of the *comedia*, where these two important classical unities are not observed. The action moves freely from Naples to Seville, from court to countryside, etc. Time is never a factor. The audience is given no indication of how much time has elapsed between one episode and another, although it is clear that the action takes place chronologically.

The *costumbrista* elements in "Las medias rojas" create a dense ambience. Ildara collects wood, starts a fire, cooks a *caldo gallego*, the father rolls a cigarette and smokes it, etc. Codes indicate the social status of the family: the "señor amo," the land the father toils but does not own, the need to emigrate for a better life, etc.

A dense background is also created by Horacio Quiroga and Juan Rulfo in their respective stories: the lush forest of Misiones in northern Argentina and the stark, arid landscape of Jalisco in Mexico.

Fuentes's "Chac Mool" employs original plays with time. Most of the narrative is flashbacks, as the narrator reads and tries to interpret Filiberto's diary. But the story itself has a circular movement; it begins with the death of Filiberto and ends with his coffin being brought to his home in Mexico City.

Possibilities for organizing concepts:

TEMA	AUTORES
EL TIEMPO Y EL ESPACIO	
El *carpe diem* y el *memento mori*	Garcilaso y Góngora [cd]; Góngora y Quevedo [mm]
El individuo en su entorno	Quevedo, Pardo Bazán, Quiroga, Machado, Lorca (ambas obras), Neruda, Rivera, García Márquez (Siesta)
La naturaleza y el ambiente	Cortés, Quevedo, Heredia, Pardo Bazán, Quiroga, Guillén, García Márquez (ambas obras)
La relación entre el tiempo y el espacio	Heredia, Bécquer, Quiroga, Guillén, Borges, Cortázar, Montero
El tiempo lineal y el tiempo circular	Bécquer, Borges (Sur), Cortázar, Dragún, Fuentes
La trayectoria y la transformación	Garcilaso vs. Bécquer; *Lazarillo* vs. Borges (Sur)

TEACHING SUGGESTIONS

TIPS FOR TEACHING LITERARY HISTORY

1. This chapter provides the first opportunity to discuss the Spanish Golden Age, because we have here three of its most significant poets: Garcilaso, Góngora, and Quevedo. You may wish to discuss the history of the period by pointing out works that reflect it: (1) the conquest of the New World (Cortez) and the prominence it gave Spain in European affairs; (2) the establishment of a flourishing colonial empire (Sor Juana); (3) the Reformation and Counter-Reformation (*Lazarillo*); (4) and ultimately the decline (Quevedo).

2. At some point, you will want to discuss the Renaissance and the Baroque—the two periods that make up the Golden Age. I personally like to use art and architecture to highlight the difference.

   For art, I contrast the Renaissance painter Fernando Yáñez's *Madonna and Child* (http://tiny.cc/9w00ew) with Velázquez's *Las meninas* (http://tiny.cc/1bcxew). The Yáñez piece illustrates the classical ideals of harmony, symmetry, and serenity. Its subject is easily identifiable, and it is working within an established pictorial tradition. Think of the balance and harmony of the Garcilaso poem and its effort to work within the classical tradition of the *carpe diem* theme. By contrast, *Las meninas* has an unruly composition, with much activity going on at once. The subject matter of the piece is not easily discernible—you have to look closely at the mirror at the rear to realize that the subject of the painting is actually in the outside space of the canvas. The painting, at a distance, is realistic, but if you get close to any single part (try the flowers on the princess's dress—http://tiny.cc/k400ew), you will see a very loose brushstroke that is barely realistic. All of this is typical of

Baroque illusionism. Think of the Góngora poem, with is highly complex hyperbatons that disorient the reader. It lacks all of the serenity and clarity of the Renaissance picture.

Architecture illustrates the periods even better. Use El Escorial as an example of a Renaissance building (http://tiny.cc/xc10ew) and contrast it to the Capilla del Rosaro in Puebla, Mexico (http://tiny.cc/0f10ew). El Escorial has very sober, straight classical lines, with barely any ornamentation. It speaks to the solidity and power of the Spanish state in the sixteenth century. Note the symmetry of its entrance and the cold, neoclassical character of its chapel. The Rosario chapel is florid to the point of confusion. Your eye travels in all directions without finding a clear point of reference. It has all the movement and decadence of Baroque art. Unlike El Escorial, this form of art dazzles with its effusive ornamentation.

3. The only two examples of Romanticism in this book are in this chapter: Heredia and Bécquer. Unfortunately, neither is an explicit example of the movement: Heredia is an early Romantic still caught up in neoclassical ideology, and Bécquer is a late Romantic whose symmetry and classical form are not typical of the movement. But we do the best we can.

   • I like to introduce Romanticism as the start of the modern period. (See pp. 12–15 and 17–19 in *Movimientos literarios*.) The old order of the sixteenth through the eighteenth centuries is entirely dismantled. Paramount among the changes is a shift from an authoritarian monarchical state to modern democracies (think American Revolution of 1776). This shift also has implications for man's concept of self; in the modern period, he feels more in control of his destiny. Wealth, for instance, which in the past was only inherited, now could be achieved by industry and hard work. A huge urban middle class emerges as a result of the Industrial Revolution. Art reflects these dynamic changes.

   • Romantic expression should always be studied in contrast to classicism. The classical ideals discussed above are destroyed by the Romantic temperament. The placid character of classicism becomes passionate and intense (think of Heredia's hurricane). There's a strong sense of the personal in Romanticism. We never thought that Garcilaso or Góngora were expressing their own emotions; they were working within an inherited theme and tradition. But Bécquer's *rima* sounds like it comes from personal experience and expresses human emotions. All modern literature will share these characteristics. The contrast between Classicism and Romanticism can be illustrated beautifully in the art of Goya—the most prominent European painter of his time. Goya begins to work within the classical framework, but he evolves as the winds of revolution sweep Europe. Begin by showing his lovely *Parasol* (http://tiny.cc/qn10ew). Note the same characteristics we noted in the Renaissance Yáñez painting: symmetry, serenity, harmony, etc. Then look at the famous *Fusilamientos del 3 de mayo* (http://tiny.cc/z4cxew). Goya has come a long way! Now he expresses an intense personal feeling about the disasters of war. The brutal images of death are not in the placid pictorial language of Classicism. He goes even farther. See the intensity of emotion and the break with realism in *Saturno devorando a su hijo*. This is purely a modern work.

4. When it rains it pours. This chapter also has the first examples of the Boom! See page 21 of *Movimientos literarios*. Both the Borges and the Cortázar stories are emblematic Boom works because of their experimentation with time. While time is a concern in all literary works, it becomes an obsession in the twentieth century. The work of two scientists contributed greatly to this preoccupation: Freud's theory of dreams and Einstein's theory of relativity. While we think we are living in

Reflexiones AP® Edition, Instructor Resource Manual and Testing Program © Pearson Education, Inc.

chronological time, we are actually always going to the past through our dreams and to the future with our imagination. There is also a difference between psychological time and clock-measured time. The two stories also illustrate the Boom's concern with Latin America's historical reality, but do so not in the traditional way of the realistic *criollista* writers. The Boom approaches these topics with great sophistication, originality, and cutting-edge literary techniques.

TIPS FOR TEACHING LITERARY ISSUES

1. Versification:
   The students see their first sonnets in this chapter, and the form should be carefully explained (see *Métrica española* in the appendix). I like to show my students a variation of the *memento mori* poem in English, such as Shakespeare's sonnet 12:

   When I do count the clock that tells the time,
   And see the brave day sunk in hideous night;
   When I behold the violet past prime,
   And sable curls all silvered o'er with white;

   When lofty trees I see barren of leaves
   Which erst from heat did canopy the herd,
   And summer's green all girded up in sheaves
   Borne on the bier with white and bristly beard,

   Then of thy beauty do I question make
   That thou among the wastes of time must go,
   Since sweets and beauties do themselves forsake

   And die as fast as they see others grow;
   And nothing 'gainst Time's scythe can make defence
   Save breed, to brave him when he takes thee hence.

Note the many similarities with the Spanish sonnets, as they both have a common Italian heritage that comes from Petrarch. Although English poetry does not count syllables, the student can see that each line has ten beats of iambic pentameter: Then OF thy BEAU-ty DO i QUES-tion MAKE, which is very claoe to the *endecasílabo* of Castilian verse. Note the strong masculine rhyme (time/prime; night/white) like the *rima consonante* of Castilian. There are also two stanzas of four lines and two of three. There is also abundant use of hyperbaton and enjambment (*encabalgamiento*).

1. Figures:
   - Metaphor vs. metonymy: This might be a good place to emphasize once again the difference between metaphor and metonymy. In a metaphor, there is an explicit sign with which to compare. For instance, in "En tanto que de rosa y azucena / se muestra la color de vuestro gesto" there is an explicit referent to the woman's face ("vuestro gesto"). One can safely assume that we are dealing with chromatic symbolism: the red of the rose and the white of the lily refer to the coloration of the woman's complexion. However, in metonymy there is no specific reference point, so the reader must figure it out on his or her own. This occurs in the Garcilaso poem with "antes que el tiempo airado / cubra de nieve la hermosa cumbre." Here we have to infer that the "tiempo airado" refers to the cold blasts of winter, the "hermosa cumbre" is the woman's head, and the "nieve" refers to gray hairs (before winter dumps its snow on the mountain = a woman with gray hair). The metonymy is much more difficult than metaphor, and it is used more frequently in Spanish poetry than in English, where it is often referred to as a

"submerged metaphor." Note how much more simply the graying effect is handled by Shakespeare: "And sable curls all silvered o'er with white."

- Hyperbaton: One way of identifying the difference between Renaissance and Baroque poetic expression is through the use of hyperbaton. While the rhetorical figure is present in many poems, it is often quite simple to figure out the inverted word placement. In Baroque poetry, it is hardly possible. This contributes significantly to its intended complexity and confusion. Have your students attempt to rewrite the first and second stanza of the Góngora poem and the second of the Quevedo sonnet. The Góngora title is likely "mientras el oro bruñido relumbra al sol en vano para competir con tu cabello." I have never been able to find a satisfactory unraveling of the Quevedo poem. Maybe your students can do it! The Shakespearean hyperbaton is not nearly as complex: "Then of thy beauty do I question make."

- Paradox: The Garcilaso poem ends in a paradox ("todo lo mudará la edad ligera / por no hacer mudanza en su costumbre"), which essentially says that time changes everything so as not to change—an apparent contradiction in terms.

- *Gradación*: This term is not used in English. It refers to a series of words that are placed intentionally in the order of a musical scale, either up or down. The Góngora poem ends in a famous example of *gradación descendente*: "en tierra, en humo, en polvo, en sombra, en nada."

- *Retruécano*: This refers to a play on words. Some of these can be very simple, but in Baroque poetry they can, as expected, be highly complex. A good example is Quevedo's use of the adjective "desmoronados" in the second line of his sonnet. He is obviously referring to the crumbling fortifications of his *patria*—a fitting symbol of the decline of Spanish military power. However, those fortifications were originally built to protect the villages from Moorish attacks. Thus, they have a relationship to the *Reconquista*, which attempted to rid the country of Moors. The neologism *desmoronar* (to "unmoor" the country) is masterful.

- Subtext: A subtext involves a series of signs that function on two levels: a literal one and a symbolic one. Subtexts are not usually obvious, especially in Baroque expression. In its original Latin expression, the *carpe diem* theme had erotic connotations. That part of the tradition is maintained in the two *carpe diem* sonnets of Garcilaso and Quevedo with verbs such as *coger*, *cubrir*, and *gozar* and the sign *el dulce fruto*.

- *Polisíndeton*: The example above under *gradación* is also an example of polysyndeton, where words—usually prepositions or articles—are repeated unnecessarily for aural effect. Góngora could just as easily have said "en tierra, humo, polvo y nada." It's opposite is asyndeton, where the prepositions or articles are purposely omitted. An example can also be found in the Góngora poem where he writes "goza cuello, cabello, labio y frente" in stead of "goza del cuello, del cabello, del labio y de la frente," especially as the final noun is feminine while the others are masculine.

- Audio figures: Many figures deal with sound effects. The Heredia poem has abundant examples:
  - Onomatopoeia: words such as *bramidos* (for the sound of a bull), *soplo* (for the sound of wind), *retumba* (for the sound of thunder), etc.
  - *Aliteración*: Examples abound. Point out the ones in lines 53–55 with the repetition of nasal sounds (/m/ and /n/).

♦ Deep or low vowels: In the Spanish vocalic system (a-e-i-o-u), there is a scale: /e/ and /i/ are "high" and "lighter" sounds; /o/ and /u/ are "low" and more somber sounds; /a/ is neutral. Notice the many words employed by Heredia that have /a/, /o/ and /u/ sounds. The very first word of the poem, for instance: "Huracán." Note line 21: "¡Pavoroso color, velo de muerte!"

POSING ESSENTIAL QUESTIONS FOR DISCUSSION

The College Board recommends posing general questions in each chapter as a means of understanding the thematic connections between the works. The ones they propose are merely suggestions; you can come up with your own questions. I think these questions are an ideal way of reviewing the theme before going on to the next chapter. Here are some questions for "El tiempo y el espacio" and the works that might be mentioned to address them:

1. ¿Cómo ha cambiado el manejo del tiempo en una obra literaria desde el Siglo de Oro a la época moderna?

   • Aunque el tiempo en el *Quijote* progresa cronológicamente, el héroe vive en un mundo del pasado, y por medio de su imaginación es capaz de transportarse a ese mundo cuando quiera. En eso Cervantes muestra una vez más su genio y originalidad.

   • Los poemas del *cape diem*, *memento mori* y *tempo fugit* implican que el cuerpo se desintegra "en polvo, en sombra, en nada", pero el alma trasciende y es inmortal. En la época moderna no hay esa certeza, lo cual se ve perfectamente bien en el agnosticismo de Manuel en la obra de Unamuno.

   • El tiempo antes de la época moderna solía ser linear (piensa en la trayectoria de *Lazarillo* de niño a hombre). Así ocurre también en la mayoría de las narraciones realistas ("Las medias rojas", "La siesta del martes", etc.). En el siglo XX el tiempo es relativo. Todo lo que ocurre en "El sur" a partir de la cirugía pudiera haber ocurrido en un segundo antes de morir Dahlmann.

2. ¿De qué manera se valen los autores del tiempo y el espacio para construir una variedad de estados de ánimo o sentimientos (p. ej., la desorientación, la nostalgia, el remordimiento).

   • En el Tratado III del *Lazarillo*, el autor pinta la casa del escudero como una habitación vacía, lo cual podría representar la vida vacía y falsa del escudero. En ese tratado también se juega con el paso del tiempo. El tiempo al principio se mueve lentamente; Lazarillo tiene hambre y está esperando que el escudero le dé de comer. El paso lento del tiempo aumenta la desesperación del niño.

   • Heredia describe la llegada de un huracán con todos los efectos sonoros que las figuras retóricas le conceden. Ese denso ambiente es un reflejo del estado de ánimo del poeta, quien deseaba la libertad de Cuba del yugo de España. La tempestad podría ser un símbolo de revolución y cambio. Nota que al final convierte el huracán en algo positivo (vv. 57-63): "¿Dó está el alma cobarde / que teme tu rugir?"

   • Rulfo pinta un escenario seco, rocoso, despoblado que comunica la desesperación y desilusión de un padre que lleva a un hijo moribundo sobre las espaldas.

   • Cortázar pinta dos mundos distintos: uno actual y otro remoto. El lector se identifica con el mundo actual porque contiene códigos que reconoce (motocicletas, ambulancias, hospitales, etc.). El otro mundo es desconocido: el moteca corriendo en busca del camino, el olor a guerra, el amuleto protector, etc. Pero el lector luego descubre que lo que se creía ser lo actual es en realidad lo remoto. La realidad es la guerra florida. He aquí un ejemplo perfecto de la relatividad del tiempo.

- La pieza de Rosa Montero crea también un ambiente denso de tráfico. Con descripciones minuciosas capta la desesperación de un conductor en busca de una plaza para estacionarse y no llegar tarde al trabajo. Aunque el tiempo del artículo es corto, el impacto es fuerte. Ambos el tiempo y el espacio crean un cuadro de la deshumanización de la vida moderna.

3. ¿Cómo se relacionan la representación del espacio y el manejo del tiempo en una obra literaria?

- Hay muchas maneras en que esto ocurre. En el modo tradicional, el tiempo y el espacio corresponden perfectamente bien. En "Mujer negra", por ejemplo, cada etapa temporal en la vida de los africanos va acompañada por un espacio correspondiente: "la espuma del mar" y "el primer alcatraz que divisé" captan el espacio del viaje en barco de la esclava a Cuba [las olas del océano y el ave que ve captan . . . .] , etc. El poema va desde los orígenes (África) al presente (Cuba). En ese transcurrir de tiempo y espacio, el "yo lírico" se va alejando de su tierra original y acepta ser parte de otra nueva tierra. Lee por Internet el siguiente artículo sobre este tema: http://tiny.cc/4hi2ew

- En la rima de Bécquer, el tiempo es circular. "Volverán", la palabra con la cual comienza cada sección del poema, implica ese movimiento. La primavera siempre va a volver, con sus golondrinas y madreselvas.

- Si comparamos "El sur" con "La noche boca arriba" vemos una gran diferencia. En Borges el espacio y el tiempo se funden. El mundo urbano de Buenos Aires se convierte en la pampa argentina. El tiempo lineal de la enfermedad se convierte en tiempo psicológico. No se distingue fácilmente entre un tiempo y otro, o entre un espacio real (Buenos Aires) y otro imaginario (la pampa argentina). En Cortázar el tiempo y el espacio están bien definidos. Por medio de estímulos sensoriales (olores sobre todo) se va del hospital al pantano, de un tiempo histórico a otro. El lector cuidadoso no tiene dificultad en distinguir entre los dos.

CAPÍTULO III:
TIEMPO Y ESPACIO:
TÉCNICA Y TEMA

Garcilaso de la Vega, "En tanto que de rosa y azucena"
(pp. 252-254)

■ □ ■

Comprensión

1. Rojo y blanco.
   - Labios, mejillas, tez.
2. Rubio; se escogió del oro.
3. Goza de tu juventud; *Carpe diem.*
4. Cubrirá de nieve la cumbre.

Interpretación

1. • 14
   - 2 son cuartetos y 2 son tercetos
   - 11; endecasílabo
   - consonante; ABBA/ABBA/CDE/DCE
   - Catorce versos endecasílabos divididos en 2 cuartetos y 2 tercetos con rima consonante en ABBA/ABBA/CDE/DCE.
2. A la mujer.
3. En tanto que la color de vuestro gesto se muestra de rosa y azucena.
   - Desorientan un poco.
4. A la cara y los ojos.
5. Cálido (rosa, ardiente, encender, oro, alegre primavera, dulce fruto, etc.); blancura (azucena, nieve, tiempo airado, viento helado, etc.).
6. Tiempo airado, nevada.
   - Los colores cálidos representan la primavera y los blancos el invierno.
7. Clima "enojado", o sea "mal tiempo".
8. El tiempo que pasa rápidamente.
   - Son iguales.
   - El tiempo pasa rápidamente. La primavera se convierte en invierno (la juventud pasa a la vejez). El tiempo cambia todo. La rosa del primer verso se marchita en la última estrofa.

9. En un viento helado.
   - Se convierte en canas (cubrirá de nieve la hermosa cumbre).
   - Se marchitan, como la rosa.
10. Dicho del macho de determinadas especies: cubrir a la hembra.
    - Dicho del macho: fecundar a la hembra.
    - Hacer el amor.
11. El tiempo cambia para no cambiar.
    - La juventud se convierte en vejez (hay cambio, pero el proceso nunca cambia).

Cultura, conexiones y comparaciones

1. Shakespeare. *Las respuestas variarán.*
2. Crean viento.
   - Lo desordenan.
   - De ahí surge la mujer. Como consecuencia, es símbolo del útero.
   - Sí. Venus, diosa del amor, desnuda y pintada de una forma seductiva.
   - *Las respuestas variarán.*
3. - El mismo tema de *carpe diem.*
   - El mismo título lo indica.
   - El sol es la lámpara del cielo.
   - La metonimia.
   - La metonimia, porque en ella no se establece la relación entre los dos signos explícitamente como en la metáfora.

Góngora, "Mientras por competir con tu cabello" (pp. 255-257)

■ □ ■

Comprensión

1. Mientras más ojos siguen tus labios para cogerlos que los que siguen al clavel temprano.
   - Los hombres miran tus labios más que al clavel temprano (metonimia para "capullo del clavel", o sea, clavel sin brotar, joven, virgen) para cogerlos (gozar de ellos en su sentido erótico).
2. Los de la mujer son más bellos.
3. Porque llega la muerte.
4. *Carpe diem.*

Interpretación

1. Mira la pregunta número 1 de *Interpretación* de Garcilaso en la p. 253.

2. Cabello, frente, labios, cuello.
   - Cabello/oro, frente/lilio, labios/clavel, cuello/luciente cristal.
   - Se emplea la metonimia.
3. Sí. Rubio, blanco, rojo, transparente.
4. Los tercetos son mucho más claros (en la estética del soneto, los tercetos representan la 'vuelta', que es precisamente dónde el poema revela su tema).
5. La juventud.
6. Plata, violeta débil.
   - La muerte (la tez después de muerto).
7. Parece que se desciende con el uso de vocales hondos como "a", "o" y "u". No es solo la muerte, sino la desintegración total del cuerpo físico.
8. Tienen sentido erótico, como se vio en el soneto de Garcilaso.
   - La virginidad de la mujer (flor sin brotar o abrirse).
9. No se emplea la misma palabra en versos consecutivos, sino a principios de una nueva idea.
10. Crean efectos fónicos y musicales.
    - Los sonidos bilabiales ('m', 'p' y 'b') en el primer verso: "Mientras por competir con tu cabello".

Cultura, conexiones y comparaciones

1. Complejidad semántica y sintáctica, desorientación al lector, espíritu pesimista, tema de la desilusión, etc.
2. Góngora.
   - Es época de decadencia y de desilusión.
3. Precisamente que el soneto de Góngora como poeta barroco ve la llegada de la vejez en tonos mucho más fúnebres.
4. *Las respuestas variarán.*

Quevedo, "Miré los muros de la patria mía" (pp. 260-262)

■ □ ■

Comprensión

1. Desmoronadas (arruinadas).
   - Decadencia, fin de su potencia.
2. Impresión negativa: el sequío, ganados sin orden y bramando (¿símbolo de un pueblo insatisfecho?), oscuridad, etc.
3. Está muy vieja, con artículos inútiles.
4. *Memento mori* (recuerdo de que todo termina en la muerte).

Reflexiones AP® Edition, Instructor Resource Manual and Testing Program © Pearson Education, Inc.

Interpretación

1. Ver *Interpretación* 1 de Garcilaso.
2. El país ya no es valiente (sus ejércitos ya no tienen la fuerza de antes).
   - Un país triste —seco, oscuro (sin luz, sin razón, etc.) y un pueblo miserable.
3. Miré, salí, entré, sentí.
   - Entra en su propia casa.
   - Nada útil. Hasta su báculo (bastón) es menos fuerte.
   - La *espada vencida* es otro símbolo de la decadencia de España.
4. Un pueblo que ha perdido su fe.
   - La falta de una fe fuerte como antes.
   - Posiblemente la defensa y diseminación de la religión católica había sido el motivo principal de la política exterior e interior de España, pero ahora se ha *perdido ese ahínco*.
5. El yo lírico ve un país que fue fuerte (pasado), pero ahora ha perdido su vitalidad (presente) y solo le espera la muerte (futuro).

Cultura, conexiones y comparaciones

1. Confusión, complejidad, pesimismo, desilusión, crítica, etc.
2. • No. Es un hombre perezoso de mediana edad, de sobrepeso, en la cama en vez de en el campo de batalla. Marte debe ser joven, vigoroso, ligero y fuerte, etc.
3. *Las respuestas variarán.*
4. *Las respuestas variarán.*
5. *Las respuestas variarán.*

Heredia, "En una tempestad" (pp. 263-265)

■ □ ■

Comprensión

1. En el presente y en medio del huracán.
2. Viento, cielo nublado y sin luz, rayos, lluvia, etc.
3. Manto, trono del Señor, etc.
4. Por el cielo oscuro y los torrentes de lluvia.
5. La tempestad se convierte en algo sublime, no temible.
   - A Dios.

Interpretación

1. Es una combinación métrica, no estrófica, en la que alternan libremente versos heptasílabos y endecasílabos, etc.

Reflexiones AP® Edition, Instructor Resource Manual and Testing Program © Pearson Education, Inc.

2. El huracán.
   - Los lectores.
   - El poeta se dirige al huracán.
3. Producen un sentido semejante a las ráfagas de viento.
4. Pies que escarban la tierra, frente levantada, nariz henchida, bramidos, etc.
   - *Las respuestas variarán.*
5. A una mujer.
   - Enarcan, se mueven, abrazan.
   - Ráfagas de viento.
6. Es parte del plan de Dios, y todo lo que procede de Él es divino.
7. Aliteración: v. 35; onomatopeya: vv. 15, 38; cacofonía: v. 14; repetición: v. 1.

Cultura, conexiones y comparaciones

1. La idea de la perfección del plan de Dios es del siglo XVIII, pero las manifestaciones violentas de la naturaleza así como la forma libre de la selva indican un temperamento romántico. Si la tempestad es un símbolo de la revolución, entonces es claramente romántica, puesto que el Romanticismo busca un cambio radical en todo, sobre todo la política.
2. La revolución. Por eso llega a ser algo bueno al final.
3. Trata elementos violentos de la naturaleza y emplea un léxico mucho más emotivo.
4. Candide fue indoctrinado por su tutor Pangloss a creer que todo está bien en la tierra porque es obra de Dios. Pero Candide, al ver todo lo malo que pasa en el mundo, se desilusiona y rechaza la filosofía optimista de su tutor y abraza la idea de que "cada uso ha de cultivar su propio huerto".
5. El origen de las palabras.
   - No. Porque no había huracanes en España.
   - *Hurricane.*
   - *Barbecue, canoe, hammock, tabacco.*
6. Representa una fuerza destructiva, y los románticos quieren destruir las bases autocráticas del régimen antiguo y establecer nuevas bases en las que todos los seres humanos tienen derechos y oportunidades.

Bécquer, "Volverán las oscuras golondrinas" (pp. 266-268)

■ □ ■

Comprensión

1. La primavera. Vuelven los pájaros y brotan las flores.
2. A la amante.
3. Las observan y forman parte de sus vidas.
4. Los dos las observaron y se fijan en ellas; por lo tanto son especiales.

Reflexiones AP® Edition, Instructor Resource Manual and Testing Program © Pearson Education, Inc.

5. De no quererlo.

6. Su amor es único, como ciertas golondrinas y madreselvas.

Interpretación

1. Once (endecasílabo).
   - Sí.
   - Sí: ar/an.

2. • Pájaros y flores.
   - Las especiales que llamaron la atención a los amantes.
   - Cristales del balcón, la tapia, el sueño (la indiferencia de la mujer).
   - Saltarlas (las golondrinas hacen nidos, las madreselvas escalan la tapia y el amante, con palabras y de rodillas, ruega).

3. En cada sílaba con acento tónico hay un sonido alveolar: Volve_rán_ las oscu_r_as golond_r_inas, etc.
   - Hay muchos ejemplos: "profundo sueño", etc.
   - Son como notas repetidas en una composición musical.

4. Varias estrofas terminan con "volverán" y las siguientes empiezan con la misma palabra.

5. Las gotas de rocío se convierten en lágrimas.

6. El yo lírico recuerda golondrinas, madreselvas y amor e implica que volverán en el futuro.

7. El renacimiento de la naturaleza en la primavera.
   - Que puede renacer también. Pero hay que recordar que no vuelven ciertas cosas particulares y especiales: unas golondrinas, unas flores y un amor especial.

Cultura, conexiones y comparaciones

1. Tiene una estructura muy fija y rigurosa, aunque original. Dos estrofas para cada signo; cada sección empieza con "Volverán"; en cada sección hay una barrera; etc. Normalmente, la poesía romántica es más libre.

2. El hombre quejándose de la mujer que no lo quiere.
   - Es el tema de muchas canciones de bolero, tango, ranchera, etc.

3. *Las respuestas variarán.*

4. *Las respuestas variarán.*

5. *Las respuestas variarán.*

Borges, "El sur" (pp. 271-277)

■ □ ■

Comprensión

1. Argentina y alemana; la descendencia argentina.

2. Dio con la punta de una ventana abierta recién pintada y le dio una septicemia.
   - A un sanatorio.

3. Todo sabe mal; por la fiebre ve los dibujos de *Las mil y una noches* en sus sueños; cree que está en el infierno; lo llevan a otro sanatorio para hacerle una radiografía, pero lo que siente es un pinchazo para la anestesia; etc.

4. Se siente desdoblado —como una persona que viaja y otra estancada en el sanatorio; el tren para en medio del campo donde no hay nada y tiene que caminar diez o doce cuadras para conseguir un carro; etc.

    • Unos chicos se burlan de él, tirándole miguitas de pan.

5. El dueño lo reconoce y un gaucho viejo le tira una navaja. Es cuestión de reputación y honor.

6. Siente que va a morir, pero es una muerte preferida a la de la septicemia.

Interpretación

1. Narrador omnisciente.

    • Parece que la acción ocurre en la mente de Dahlmann, con algún orden cronológico pero no en el tiempo o espacio normal.

2. Se dice que elige una muerte romántica, que es exactamente lo que pasa. El lector no se da cuenta en ese momento. La atención del lector va en busca de detalles que no tienen que ver con la acción, ya que sabe el clímax.

3. Sensaciones raras.

4. Las dos cosas.

    • Las cosas que ve desde el tren parecen "sueños de la llanura". El vagón en que viaja no es el mismo que tomó en Buenos Aires, etc.

    • "Viajaba al pasado y no sólo al sur". Aquí mezcla tiempo y espacio. Los dos se esfuminan en uno solo.

5. Las dos descendencias opuestas; la metrópoli y el campo; la muerte en el sanatorio y la muerte en una pelea de navajas; etc.

6. Hay varias posibilidades: cuando se hizo daño con la ventana pintada; en la cama cuando todo le sabe atroz; cuando lo mandan para una radiografía; cuando le pinchan para anestesiarlo; cuando le dan la baja del sanatorio; etc. No se puede estar totalmente seguro.

    • El propósito de Borges es precisamente confrontar al lector con dilemas complejas de tiempos y espacios para involucrarlo en la lectura.

    • Uno, a raíz del accidente y dos, en un mini segundo de su mente cuando se imagina una muerte romántica.

7. Circular: Dahlmann vuelve a la estancia de su familia; futuro: el cuento prefigura su muerte, anunciando así un hecho futuro, y al final sale a la llanura pero no se dice que muere; pasado: viaja desde el centro de Buenos Aires a los barrios antiguos y desde allí al mundo gauchesco aún más antiguo.

Cultura, conexiones y comparaciones

1. *Las respuestas variarán.*

2. *Las respuestas variarán.*

3. *Las respuestas variarán.*

4. *Las respuestas variarán.*

5. *Las respuestas variarán.*

Reflexiones AP® Edition, Instructor Resource Manual and Testing Program © Pearson Education, Inc.

- *Las respuestas variarán. Martín Fierro*, locales conocidos de Buenos Aires (Rivadavia que divide la ciudad en norte-sur), gauchos, estancias, etc.
- "Cowboy", sin embargo, el gaucho es normalmente mestizo.

6. El tiempo en Borges es psíquico (o sea, ocurre en pocos segundos en la mente de Dahlmann). No es así en los otros relatos.

7. Se dice explícitamente que *Las mil y una noches* "está vinculado a la historia de su desdicha, era una afirmación que esa desdicha había sido anulada y un desafío alegre y secreto a las frustradas fuerzas del mal". Shahrazad prolonga su vida contándole cuentos al Sultán. Dahlmann intenta prolongar su vida con su imaginación, emprendiendo un viaje hacia el sur.

8. Actividad.

Cortázar, "La noche boca arriba" (pp. 288-295)

■ □ ■

Comprensión

1. Sufre un accidente; choca con un auto.
2. Al hospital para operarlo.
3. Al de los aztecas.
4. Se huye porque los aztecas lo están persiguiendo para capturarlo.
5. El del internado que está junto a él en el hospital.
6. Que la realidad del presente no es el del motociclista, sino el del indio moteca.
7. *Las respuestas variarán.*

Interpretación

1. Moderno: avenidas, autos, motos, edificios, ambulancias, hospitales, etc.; pasado: pantano, bosque, calzada, puñal, etc.
   - El moderno.
   - Porque no tiene lugar en nuestro tiempo, sino en el tiempo pasado. Nuestro presente es imaginado por el moteca desde el pasado.
   - Siempre lo vemos desde nuestro punto de vista y nuestra realidad. Nos sorprende cuando descubrimos otra perspectiva completamente distinta a la nuestra.
2. El cirujano y su cuchilla.
3. "Sus pies se hundían en un colchón de hojas y barro"; "Como si el cielo se encendiera en el horizonte, vio antorchas moviéndose entre las ramas"; una lámpara violeta en la pared del hospital era "como un ojo protector"; la moto es "un enorme insecto de metal"; etc.
4. Hay mucha referencia al olor, el sabor, el tacto, etc.
   - Con frecuencia, el olor transporta al protagonista de un mundo al otro.
5. - la calzada por la cual corre el moteca;
   - el grito que da el moteca cuando lo van a matar;

- el moteca atado a la camilla que lo transporta al templo;
- olor a guerra y muchos otros olores que siente en su fuga;
- las sogas con las que lo atan al ser capturado;
- el cuchillo de piedra sangriento que lleva el sacrificador azteca;
- "el insecto de metal que zumbaba bajo sus piernas".

6. *Las respuestas variarán.*

Cultura, conexiones y comparaciones

1. *Las respuestas variarán.*
2. Es más bien un cuento fantástico. En el realismo mágico, todo responde al mundo real, solo con elementos hiperbólicos o mágicos. Además, con frecuencia, el realismo mágico sigue el orden cronológico. En este cuento de Cortázar, se juega con el tiempo y el espacio, los cuales no funcionan de una manera natural.
3. Como en la ciencia ficción, Cortázar se vale de la descripción de un mundo desconocido por el lector. Pero en la ciencia ficción ese mundo es de un futuro transformado por nuevos avances en la ciencia y la tecnología. El propósito de Cortázar es muy distinto.
4. *Las respuestas variarán.*
5. *Las respuestas variarán.*
6. *Las respuestas variarán.* Es allí donde se llevaba a cabo el sacrificio humano.
7. *Las respuestas variarán.*
8. Actividad.
9. *Las respuestas variarán.*

Nancy Morejón, "Mujer negra" (pp. 295-298)

■ □ ■

Comprensión

1. Puede ser las dos cosas, pero ella se proyecta como representante de todas las mujeres africanas.
   - Primera persona plural. Indica que ella es parte de un grupo mucho más grande (todas las esclavas traídas al Caribe).
2. El pasado. El presente.
3. La impreñó.
4. Laboró como esclava.
5. Luchó para la independencia de Cuba.
6. Acabó con el capitalismo; luchó a favor de la Revolución Cubana.
7. Que todo es suyo, no de otros. Está gozando del árbol que sembró en la lucha a favor del comunismo.

Reflexiones AP® Edition, Instructor Resource Manual and Testing Program © Pearson Education, Inc.

Interpretación

1. Verso libre. No tiene número fijo de sílabas ni patrón de rima.
2. Por vía oral.
   - Se olvida de dónde proviene; ahora es solo cubana.
3. Empieza con el mar que atravesó como esclava; pasa al campo donde laboró; luego al monte donde se refugió; termina en un lugar mítico donde todo se comparte igualmente.
4. Canto milenario, azul montaña, magia y quimera, bailar, pródiga madera que resuena, etc.
5. Les ha dado la tierra; ahora es de ellos. Se debe notar el uso repetido del posesivo, lo cual implica que Cuba es de ellos y no de "generales y burgueses".
   - El árbol cuya madera resuena, o sea, el árbol plantado por ellos empieza a tener resonancia.

Cultura, conexiones y comparaciones

1. Es un poema directo y fácil de comprender. Critica el pasado histórico colonial y expresa la lucha para independizarse y conseguir la igualdad.
2. *Las respuestas variarán.*
3. *Las respuestas variarán.* Muchas similitudes: fueron extirpados de su tierra; traídos al Nuevo Mundo para laborar la tierra; fueron abusados sexualmente por sus amos; lucharon para independizarse; etc.
   - *Las respuestas variarán.*
4. *Las respuestas variarán.*
5. *Las respuestas variarán.*
6. Posiblemente. En ambos casos se intenta comunicar que no hay prejuicios contra los negros en Cuba, pero hay pruebas de que sigue existiendo. Sin embargo, se ha hecho un intento de borrar las diferencias entre las razas.
7. *Las respuestas variarán.*

Rosa Montero, "Como la vida misma" (pp. 299-301)

■ □ ■

Comprensión

1. Unos minutos. Tiene lugar en una calle urbana (probablemente Madrid).
2. Un terrible atasco y las reacciones de los conductores.
3. Tiene que llegar al trabajo (como los otros conductores).
4. Nervioso, frustrado, enojado y agresivo.
   - Igual que ella.
5. Maldice a los otros conductores, hasta casi atropella a una anciana.
6. Se siente como si estuviera en el paraíso. El conductor de atrás le da espacio para aparcarse.
7. Cree que lo está regañando.

Interpretación

1. En el presente, a veces en primera persona, pero principalmente se desdobla y habla de sí mismo en forma de tú. ¿Qué es el efecto de narrar de este modo? El presente da un sentido de inmediatez. La forma de tú hace sentir al lector como parte de la experiencia.
   - También te hace sentir presente en lo que está ocurriendo. Casi todo el mundo ha tenido las mismas experiencias.
2. "Doscientos mil coches apretados junto al tuyo". Sí, es muy natural. Por ejemplo: Tardé un siglo en llegar.
   - Humor.
3. Imbécil, idiota, cretino, chalao, etc. Al ser muy informal, el lector se relaja ante el lenguaje que él mismo, a lo mejor, usa en estos instantes.
4. A sí mismo, pero con la forma del tú involucra al lector también.
   - Con gestos y miradas.
   - Solo en la forma del fluir de la conciencia.
   - Muchos detalles minuciosos combinados con descripciones visuales, pensamientos, opiniones, expresiones, etc., todos mezclados para producir un cuadro auténtico, muy realista.
5. Por poco atropella a una anciana y no le importa.
   - Cuando le da las gracias al señor que le permitió estacionarse.
6. El narrador cree que los otros han sido agresivos, cuando él mismo ha sido tan agresivo como los demás.
7. *Las respuestas variarán.*

Cultura, conexiones y comparaciones

1. *Las respuestas variarán.*
2. Son muy diferentes, pero sí contienen un mensaje. El mensaje de Montero no es tan explícito como el de los apólogos medievales.
3. *Las respuestas variarán.*
4. *Las respuestas variarán.*
   - La radio, el avión, la tele, la computadora, el Internet, el celular, etc.

Reflexiones AP® Edition, Instructor Resource Manual and Testing Program © Pearson Education, Inc.

LAS RELACIONES SOCIALES E INTERPERSONALES

THEME RATIONALE

TIPS FOR USING THE "ORGANIZING CONCEPTS"

- La amistad y la hostilidad
- El amor y el desprecio
- La comunicación y la falta de comunicación
- El individuo y la comunidad
- Las relaciones del poder
- Las relaciones familiares

The "organizing concepts" provided by the College Board are aimed at helping students see and understand the subthemes related to the major theme. By reading these "concepts," you begin to see that this theme ("Las relaciones sociales e interpersonales") relates to positive and negative relationships (amistad/hostilidad; amor/desprecio; comunicación/incomunicación; poder/subyugación) within families and social groups.

Consequently, for this theme I have chosen the following works, all from the modern period:

Lorca's *La casa de Bernarda Alba* is a mine for this theme. It displays literally every single organizing concept. While one assumes that there must be bonds of love between members of the family, what we mostly see is the pent-up hostilities and hatred among the sisters. What are the causes for this breakdown of traditional bonds? In part, it's the community in which they live, with its restrictive rules and traditions, together with the repressive power of the domineering mother. As a result, the play brilliantly illustrates how external factors operate within human relationships.

Quiroga's "El hijo," Rulfo's "¿No oyes ladrar los perros?" and García Márquez's "La siesta del martes" all depict very different types of family relationships. In all three cases, the parents have unconditional love for their children and maintain open communication with them. Like *Bernarda Alba*, these three works depict the reactions of parents upon the death of their children, but the love depicted in the three stories does not hinge on social or public perception as in the Lorca play. Each parent has a different reaction to death: Quiroga's father avoids the tragedy by slipping into a hallucinatory state; in Rulfo, the father seeks the spiritual salvation of his aberrant son; the mother in "La siesta" maintains dignity and pride although her son was accused of robbery.

Other works that could be read under this theme:

"Romance del rey moro" portrays power relationships in an interesting way. The king, who has absolute power, is actually subservient to popular opinion, as the *alfaquí* scolds the king for his mal-governance.

Juan Manuel's *apólogo* illustrates the relationship between the sexes in which the woman must be obedient and submissive to the man. In a clever twist, however, the story shows that the reformed wench's mother controls her husband.

Lazarillo is replete with examples. But let's focus on three. (1) Lazarillo's mother and Zaide form a warm and supporting relationship. However, because it's illicit by the moral and racial norms of the period, it is forced to break up. This provides an interesting example of how moral codes and systems of power affect and control human relationships. (2) Lazarillo's relationship to the escudero in the third chapter clearly illustrates the young boy's capacity for compassion for an individual who is the victim of the ridiculous honor codes of Golden Age Spain. (3) The relationship of Lazarillo to his unfaithful wife demonstrates how some relationships are based on financial need, and this need takes front seat to moral concerns.

In the *Burlador*, relationships should be grouped around the following: (1) the privileges conferred by family and class bonds; (2) the powerless position of women; (3) the true love among the peasants (Anfriso and Batricio truly love their mates, while the nobles are content to marry whomever the king wishes); (4) the insincere bonds of friendship as illustrated by the Marqués de la Mota and Don Juan, in which the latter trespasses the sacred comradeship of friendship—a value held dear in Golden Age Spain.

Don Quijote illustrates this theme in many ways, most poignantly in the tight union that emerges between knight and squire. While this is most easily discerned by reading the entire novel, the student can easily comprehend the deep love and respect between them by Sancho's reaction to his master's death in the last chapter of the book.

In contrast to the loving relationship we see in Quiroga, Rulfo, Rivera, and García Márquez's "La siesta," we experience the opposite in "Las medias rojas." Here, a father, rather than take delight in his daughter's search for a better life, only sees his own dilemma of abandonment, and he reacts violently and abusively toward Ildara. The cultural situation, however, is much more complex, as in nineteenth-century Spain daughters do not abandon their single fathers and Ildara's respect for her father leaves much to be desired.

García Márquez's "Ahogado" focuses on transformation. Esteban transforms the community, and this metamorphosis, which brings a new sense of universal outlook to the village, alters the human relationships, which evolve from being passive and monotonous to active and dynamic.

"Borges y yo" and "A Julia de Burgos," both of which are classical examples of "La dualidad del ser," can also fit nicely into this category because they focus on the relationship of the artist to his or her public persona.

In "Balada de los dos abuelos," Guillén shows the positive results of the blending of races in Cuba and the harmony it achieves.

Allende shows the transforming power of love.

Montero' story illustrates how modern urban life can create sufficient stress and anxiety for individuals to react in an uncivil fashion to one another.

In a similar way, Dragún's play shows how the economic stresses of modern life affect the human psyche and dehumanize individuals. Relationships can also be altered by social, political, and economic conditions.

Reflexiones AP® Edition, Instructor Resource Manual and Testing Program © Pearson Education, Inc.

Possibilities for organizing concepts:

TEMA	AUTORES
LAS RELACIONES SOCIALES E INTERPERSONALES	
La amistad y la hostilidad	Romance, Cortés, *Lazarillo*, *Burlador*, Martí, Burgos, Lorca (*Bernarda*), Guillén, Rulfo
El amor y el desprecio	
La comunicación y la falta de comunicación	Cortés, Pardo Bazán, Lorca (*Bernarda*), Guillén, Machado, Neruda, Burgos, Rivera, Rulfo, García Márquez (Siesta), Allende
El individuo y la comunidad	Unamuno, Dragún, García Márquez (Ahogado)
Las relaciones del poder	*Lazarillo*, *Burlador*, Guillén, Lorca (*Bernarda*, Romance), Fuentes, García Márquez (Siesta), Morejón
Las relaciones familiares	*Burlador*, Pardo Bazán, Quiroga, Lorca (*Bernarda*), Guillén, Dragún, Rivera, Rulfo, Ulibarrí, García Márquez (Siesta)

TEACHING SUGGESTIONS

TIPS FOR TEACHING LITERARY HISTORY

1. Although we associate Realism with a literary movement of the second half of the nineteenth century (Pardo Bazán's story being a classical example), it is worthwhile noting that realism has always been a hallmark of prose fiction. *Lazarillo*, the first "modern" European novel, is written in that vein, and Cervantes insists that the life of Don Quixote, which he chronicles, is based on legitimate sources of information. Realism extends to our time and will continue into the future. The short stories of Quiroga, Rulfo, Rivera, and García Márquez ("La siesta") fall within this range.

    Bernarda Alba also employs a great deal of realistic elements. In fact, Lorca describes it as a "documental fotográfico." But it is fused with poetic elements as well. Think of the 200 women on stage at the start of the play all fanning themselves and reciting in chorus "Descansa en paz." Much of the dialogue, although realistic, contains poetic and symbolic undercurrents. And the team of migrant workers that arrive to the town singing *romances* also adds a note of the poetic.

    In fact, *Bernarda Alba* may well be Lorca's most "realistic" play. He began his career writing purely poetic drama. His first play, *El maléfico de la mariposa*, depicts the dying of a butterfly—hardly a theme for a box-office success. Even toward the end of his career, in *Bodas de sangre*, he wrote poetic drama.

TIPS FOR TEACHING LITERARY ISSUES

1. The "subtext" of a work refers to a concern of the text that is not expressed at the textual manifestation level, but rather "suppressed" to a deeper underlying concern and usually developed through symbols. For example, the *carpe diem* poems of Garcilaso and Góngora express the erotic character of the Latin theme through symbols and words with double meaning. Verbs such as *gozar* and *coger*—simple words on one level of meaning—can have sexual connotations on another level. And signs such as *el dulce fruto* or *el clavel temprano*, which are explicit on a subtextual level, function as symbols for the virginity of the woman.

Reflexiones AP® Edition, Instructor Resource Manual and Testing Program © Pearson Education, Inc.

Rulfo's short story contains a number of symbols that together create a subtext. On the surface text, we see an enraged father scolding a wayward son who has even killed his godfather. On the subsurface, we see a loving father trying to redeem his son. The fact that he carries his son on his shoulders represents the weight of responsibility that the father bears. His insistent desire to have his son hear barking dogs represents an attempt to find a nearby village where there would be a physician to save his son. The name of the town, Tonaya, comes from an indigenous word meaning "sun"; the father clearly wants to leave the darkness of the night in which he travels to the sunlight where all will be better. In the very last words of the story, when the father lowers the dead son from his shoulders and hears dogs barking, he says: "No me ayudaste ni siquiera con esta esperanza." *Esperanza* is a polysemous word in Spanish that means "hope," but also in Christian doctrine, it refers to the wish that God will offer salvation.

Bernarda Alba expresses many of the play's themes through symbols. The heat and the constant longing for water symbolize the sisters' sexual anxiety, as does their needlework, where the in-and-out movement of the needle could have phallic intentions. Bernarda's cane, which Adela breaks in two at the end of the play, represents her power, but as a phallic symbol also represents her "masculine" traits as one who controls and wields authority. The kicking sound of the wild horse encaged in the corral is a constant reminder of the absence of men in the Alba household. While these and other symbols do not form a subtext, they reinforce the theme of sexual frustration.

POSING ESSENTIAL QUESTIONS FOR DISCUSSION

The College Board recommends posing general questions in each chapter as a means of understanding the thematic connections between the works. The ones they propose are merely suggestions; you can come up with your own questions. I think these questions are an ideal way of reviewing the theme before going on to the next chapter. Here are some questions for "Las relaciones sociales e interpersonales" and the works that might be mentioned to address them:

1. ¿De qué manera se transforma el/la protagonista de una obra a consecuencia de sus relaciones con otros personajes?

    • En el *Lazarillo*, vemos al niño madurarse. Por medio de su contacto con sus amos, se da cuenta que en el mundo las apariencias engañan: los curas no son buenos y los ricos son pobres. Ve también la decadencia moral. Por eso, al final, no le importa ser cornudo. Lo único que importa es su propio bienestar.

    • Los críticos han comentado de la "sanchificación" de don Quijote y la "quijotización" de Sancho. O sea, los dos se van transformando a lo largo de la novela a causa de la influencia del uno al otro. Sancho se hace más idealista y don Quijote más realista. Esto se observa claramente en el último capítulo cuando don Quijote vuelve a la razón pero Sancho quiere volver a las andanzas caballerescas.

    • En *San Manuel* de Unamuno, ocurre una transformación paradójica. Lázaro, el hermano escéptico y anticlerical de Ángela, va adquiriendo respeto por el clero y alguna forma de fe por su contacto con un cura, quien también no es creyente.

    • En "El ahogado" de García Márquez, se ve perfectamente la influencia de un individuo en toda una comunidad. En este caso, el que causa la transformación es un ahogado, pero la presencia de algo inesperado e inaudito en el pueblo hace que los aldeanos se den cuenta de la existencia de otra realidad fuera de su mundo aislado y monótono. Les hace ver el mundo de otra manera.

- "Dos palabras" de Allende muestra el poder de las palabras para transformar al individuo. Lo especial de este caso es que una mujer es la que ejerce influencia para transformar al general.

2. ¿De qué manera contribuyen o perjudican los individuos al bienestar de la familia o la comunidad?

- No se debe pasar por alto las ramificaciones perniciosas de la conquista de los pueblos amerindios. El poema anónimo "Se ha perdido el pueblo mexicatl" expresa el pathos de ese contacto entre europeos e indígenas.

- Las perfidias de don Juan en *El burlador* perjudican a otros individuos así como toda la comunidad. La seducción de las mujeres destruye su honor y les prohíbe llevar una vida normal, puesto que nunca podrán casarse sin la virginidad. Don Juan hasta infringe los lazos sagrados de la amistad con Mota, intentando seducir a doña Ana; en el proceso, mata al padre de Ana.

- En *Don Quijote* se ve un caso irónico de ayuda al individuo que resulta perjudicado. La ayuda que don Quijote le ofrece a Andrés —un acto totalmente altruista— resulta en un mayor castigo para el pobre chico. Aquí se ve el desengaño profundo que se expresa en la novela y que caracteriza todo el arte Barroco.

- El tío Clodio de "Las medias rojas" hace lo necesario por impedir la emigración de su hija, lo cual condena a Ildara a una vida de opresión y miseria.

- Don Manuel de Unamuno hace actos de caridad para su pueblo con el intento de mantenerlos contentos, a pesar de que en el proceso les engaña y hace cosas que van en contra de la religión católica.

- En *La casa de Bernarda Alba*, la antagonista, con su reprensible sentido del poder, así como su concepto reaccionario de la honra, destruye las vidas de sus hijas.

3. ¿Cómo contribuye el contexto sociocultural en el desarrollo de las relaciones interpersonales?

- Una vez más, el *Lazarillo* nos ofrece un ejemplo ideal. La hipocresía y la corrupción que Lazarillo descubre en la España del siglo XVI directamente influye su comportamiento y sus relaciones interpersonales. No es que Lázaro también abrace la hipocresía y la corrupción, sino que se retira de la sociedad y se hace un recluso a quien no le importa nada o nadie.

- En muchas obras, el tenaz sentido del honor afecta a los individuos, como ocurre con el escudero del *Lazarillo* o con Bernarda Alba. Una faceta importante del sentido del honor se afinca en la virginidad de la mujer, y esa condición imprescindible es la causa de los conflictos que se desarrollan en el *Burlador*, las redondillas de Sor Juana y *Bernarda Alba*.

- Las reacciones de los personajes de "Las medias rojas" están condicionadas por ciertas normas culturales; en la España tradicional, es la obligación de la hija cuidar a un padre viudo. La ira del padre se debe en parte a que la hija infringe esa ley sagrada.

- La otra cara de la moneda se ve en el relato de Rulfo. Otra ley sagrada es la responsabilidad que les deben los padres a sus hijos. A pesar de la conducta antisocial del hijo, el padre no lo abandona y hasta busca su salvación.

- En "La siesta del martes", García Márquez relata cómo la pobreza puede llevar a la gente a la delincuencia. Carlos roba por necesidad. Esto es un eco del padre y del padrastro de Lazarillo, quienes también robaban por necesidad.

CAPÍTULO IV: LAS RELACIONES INTERPERSONALES Y SOCIALES

Quiroga, "El hijo" (pp. 332-337)

■ □ ■

Comprensión

1. Feliz, porque su hijo también lo está.
   - El hijo sabe manejar una escopeta.
2. Mucho amor, cariño y respeto.
   - A saber bregar con el peligro.
   - Viven juntos y solos en un lugar muy apartado. El padre es viudo.
3. Que el hijo ha matado un ave.
   - No ha escuchado otros tiros. También el hijo no ha vuelta a tiempo, y siempre obedece al padre.
4. Se había enredado en un alambre de púa y la escopeta disparó, matándole.
5. Le da tanto terror que no puede enfrentarlo. Le da alucinaciones, y sigue adelante como si su hijo estuviera vivo.

Interpretación

1. Omnisciente, siempre al lado del protagonista, contando todos sus sentimientos, pensamientos y acciones.
2. Es muy lento. Se dan las horas exactas.
3. Recoge cada impresión. Sabe que su hijo ha muerto. No grita oralmente, solo en su corazón. No quiere enfrentar la realidad.
4. Es muy denso: el calor de la selva tropical se menciona con frecuencia. La intensidad paralela la intensidad del sufrimiento del padre.
5. Al principio el padre teme que algo le pasa a su hijo: "¡Tan fácilmente una criatura calcula mal y sienta un pie en el vacío, y se pierde un hijo".
6. El narrador dice que sufre de alucinaciones. Pero su reacción se entiende como manera de no enfrentar lo más terrible que le puede pasar a un padre, sobre todo un padre viudo y sin otros hijos.
7. A pesar de los esfuerzos del padre de prevenir el peligro, el hijo muere. Moraleja: la idea que las cosas pasan y uno no las puede controlar, aunque intente hacerlo.

Cultura, conexiones y comparaciones

1. La minuciosa descripción de la naturaleza y de los sentimientos y pensamientos del padre. También la noción que en un mundo salvaje pasan cosas salvajes: el hombre es un reflejo de su medio ambiente.

   • Cierto tono que suaviza lo terrible.

   • Cuando el padre ve al hijo muerto y lo resucita en su mente. Pero esa fantasía existe solo en la mente del padre. El narrador le deja saber al lector exactamente lo que ha pasado.

2. También escribía sobre casos de muertes trágicos. En otros cuentos de Quiroga se ve más su afán por el misterio, lo fantástico y lo horripilante.

3. *Las respuestas variarán.*

4. *Las respuestas variarán.*

5. El amor intenso que muestran los padres en Quiroga, Rulfo y García Márquez ante la muerte de sus hijos forma un contraste acentuado con la reacción de Bernarda Alba.

Lorca, *La casa de Bernarda Alba*, Acto I
(pp. 337-349)

■ □ ■

Comprensión

1. La critican severamente por ser dominante, cruel, tacaña, etc.

2. Confirma lo que las criadas habían dicho: es muy autoritaria, criticona y malagradecida.

3. Encerrarse en la casa por ocho años y bordar.

4. Se queja.

   • Aguja e hilo para las hembras; látigo y mulas para el varón. Define muy claramente los géneros.

5. Porque estaba mirando a los hombres por las rendijas del balcón.

   • Con Pepe el Romano.

   • Es la mayor, tiene la herencia del primer esposo de Bernarda y, además, la hija mayor tiene que casarse antes que las menores.

   • Saben por qué Pepe ha elegido a Angustias y no a una de las más jóvenes y bellas.

6. Que unos hombres ataron a su marido y a ella se la llevaron al campo para gozarla.

   • Sí, con mucha atención.

7. Sale María Josefa, la madre de Bernarda. Sale de un cuarto donde Bernarda la tenía encerrada. Habla de que se quiere casar.

Interpretación

1. Presenta el carácter de Bernarda y se cuenta el pasado de la historia que no se dramatiza en la pieza (estructura interna).

2. *Las respuestas variarán.* (Es un toque algo poético).

   • *Las respuestas variarán.*

3. Las mujeres tienen que comportarse de una manera determinada por la tradición. Esto incluye la obediencia a los padres y a los esposos, el comportamiento moral, la virginidad, etc.

   • *Las respuestas variarán.*

   • *Las respuestas variarán.*

   • *Las respuestas variarán.*

   • *Las respuestas variarán.*

4. Ella está enamorada de él y esto es lo que causará la tragedia al final.

5. • la limpieza que exige Bernarda forma un paralelo con la pureza que espera de sus hijas; hay que notar que las manchas no salen;

   • su autoridad; es fálico y ella hace el papel del hombre en esta pieza;

   • el color de la naturaleza —ella quiere liberarse;

   • no permitir que las mujeres tengan una vida propia —están encerradas por la tradición.

6. En apartes la critican severamente. La tratan cortésmente por hipocresía.

   • Amelia es muy inocente y amable; Martirio es una mujer angustiada y negativa que amarga los pensamientos de Amelia.

   • Es una relación más conflictiva: Magdalena llama a Martirio una hipócrita.

   • Parece que le tienen miedo; no hay respeto ni amor.

Acto II (pp. 349-360)

■ □ ■

Comprensión

1. Angustias dice que a la una y media y las hermanas dicen a las cuatro. Puede ser que Pepe esté pasando a visitar a otra hermana después de despedirse de Angustias.

   • Que en realidad Pepe y Adela tienen relaciones; ella le confiesa a Poncia que está arrebatadamente enamorada de Pepe.

2. Que deje a Pepe casarse con Angustias, que su hermana es débil y no aguantará el primer parto; después de muerta, Pepe se casa con la más joven de las hermanas, que sería Adela.

3. Martirio lo puso entre sus sábanas.

   • Que era una broma.

   • Que Martirio está enamorada también de Pepe.

   • No lo cree. Se enoja con Poncia y la insulta por haber sugerido algo tan escandaloso.

4. Una chica del pueblo ha tenido un hijo natural y lo ha matado; la gente del pueblo la arrastran por la calle y la quieren matar. Bernarda concuerda.

Reflexiones AP® Edition, Instructor Resource Manual and Testing Program © Pearson Education, Inc.

Interpretación

1. Que Pepe y Adela han entablado relaciones.
2. Reproduce el acto sexual.
   - Representa la pasión sexual que sienten.
   - Un grupo de hombres jóvenes en el pueblo fascina a las hermanas; su romance es algo picante: piden rosas del pueblo, lo cual representa aquí chicas.
3. Adela se rebela y dice que hará cualquier cosa para estar con Pepe. Bernarda sigue su papel de autoridad, pero el público empieza a darse cuenta que algo muy grande se está urdiendo que quizá ella no pueda controlar como quiere.
4. Los conflictos se intensifican.
5. Poncia dice que Bernarda es capaz de saber lo que está pasando a muchas leguas de su casa, pero no sabe lo que pasa en su propia casa. Esta ceguera es un ejemplo de ironía dramática y de ciertas faltas de Bernarda (*hamartia* de la tragedia griega) y de arrogancia (el *hubris*).
6. Bernarda y Martirio concuerdan con los que la quieren matar, pero a Adela le da lástima y quiere que le den la libertad.
   - Forma parte del trasfondo de la obra: el de un pueblo tradicionalista y restringido en asuntos sexuales. Cuando los impulsos naturales se restringen tan severamente, el resultado son actos salvajes y horripilantes como este.

Acto III (pp. 360-370)

■ □ ■

Comprensión

1. Le dice que no le diga nada al esposo y que no procure averiguar lo que le pasa o lo que piensa. La felicidad no parece ser parte del matrimonio para Bernarda. En fin, le aconseja que aguante todo y que no se queje.
2. Vuelven al tema del peligro que se corre en la casa con las hijas y Pepe. Bernarda sigue insistiendo que no pasa nada y que ella lo tiene todo controlado.
3. Trae una oveja.
   - Quiere salir al campo y tener hijos.
   - Sus palabras lo comprueban: "Pepe el Romano es un gigante. Todas lo queréis".
4. Que Adela está en el corral con Pepe.
   - Que Pepe es suyo y que no le importa las consecuencias.
   - Que ella también está enamorada de Pepe.
5. Adela se enfrenta con su madre y sus hermanas y les dice que Pepe es suyo y que él solo manda en ella; Bernarda saca una escopeta y dispara contra Pepe; Martirio implica que Pepe ha muerto.
   - Se suicidó.
   - No.
   - Que vistan a Adela de blanco para que todos crean que ha muerto virgen.

Reflexiones AP® Edition, Instructor Resource Manual and Testing Program © Pearson Education, Inc.

Interpretación

1. Es un tipo de alivio.

2. Simboliza la fuerza masculina encerrada y apartada de las mujeres; sus patadas son un recuerdo constante para las hermanas de esa pasión que se les prohíbe.
   - el instinto maternal;
   - sed de contacto con hombres, del placer carnal;
   - destruye su autoridad.

3. Sí, se puede llegar a esa conclusión. Martirio ama a Pepe y ya le había dicho a Adela que haría cualquier cosa por prohibir que Adela salga la victoriosa con Pepe.

4. Empieza con "silencio". Termina con "silencio". Puede significar una estructura circular: nada cambiará en la casa y seguirá la tristeza y la frustración.

5. La mujer (Bernarda) es la que controla. Lleva un bastón, el cual es un símbolo fálico.

Cultura, conexiones y comparaciones

1. Con muchos símbolos; escenas poéticas, como las 200 mujeres abanicándose, la de los segadores cantando y la de María Josefa acariciando una oveja, etc.

2. Andaluz: calor, paredes blancas, limonada, jacas, escenas de amor junto al balcón, segadores, romances, etc. Universal: feminismo, frustración de las mujeres, la sexualidad, la libertad, la autoridad, el amor, los celos, los conflictos familiares, etc.

3. *Hubris*: Bernarda es arrogante, y su arrogancia la prohíbe ver lo que está pasando en su propia casa; *hamartia*: Bernarda comete un gran error en el modo en que encierra a sus hijas, y ello produce la tragedia; *pathos*: la lástima que el público siente por Adela y por todas las hermanas; *catarsis*: tiene que ver con la transformación que siente el público como consecuencia de lo que pasa en la tragedia; *mimeses*: la obra imita sentimientos humanos de la realidad; *anagnorisis*: esto ocurre cuando Bernarda descubre el pecado de Adela; *peripeteia*: ocurre cuando el público se da cuenta de lo que está pasando entre Pepe y Adela, lo cual precipita la tragedia.

4. *Las respuestas variarán.* Adela sería una buena respuesta porque es ella la que se rebela y sufre las consecuencias.

5.
   - Estuvo casada antes; la familia del difunto marido la odia; el esposo le era infiel, puesto que se aprovechaba de la Poncia; ella ha prohibido que Martirio se case con un pretendiente por un caso de honor; etc.

6. *Las respuestas variarán.*

7. *Las respuestas variarán.*

8. Las critica severamente, puesto que conducen a la tragedia.
   - Parece que son perenne. Se ve la misma preocupación con la pureza de la mujer que hubo en el Siglo de Oro. La obligación que los hijos le deben a los padres refleja la situación en "Las medias rojas".

9. Es muy formal. En *Bernarda Alba* es informal. Poncia da su opinión y aconseja.
   - *Las respuestas variarán.* En el mundo hispánico siempre ha habido cierto respeto por el pueblo y todo lo que proviene del pueblo. Por ejemplo, España es el único país europeo que conserva su Romancero tradicional, producto de la creatividad del pueblo.

Reflexiones AP® Edition, Instructor Resource Manual and Testing Program © Pearson Education, Inc.

10. En ambas obras la pureza de la mujer, la reputación de la familia (el 'qué dirán') y la clase social forman las bases del honor.

    • Las costumbres están muy arraigadas. España fue, hasta hace poco, un país muy tradicionalista.

    • No.

    • No.

    • Lazarillo aprende que el honor es hipócrita y un código ridículo, así que acepta su deshonra sin remordimiento. Claro que la clase social influye: Lazarillo es pobre y no tiene que defender su honra como hacen los nobles.

11. Es una forma de expresión artística que ha perdurado a lo largo de los siglos.

12. Ella hace el papel de un hombre, puesto que manda en su casa. Su bastón es un símbolo de ello.

Juan Rulfo, "¿No oyes ladrar los perros?" (pp. 382-388)

■ □ ■

Comprensión

1. Cargado sobre los hombros.

    • Está herido y expirándose.

2. Que escuche si oye ladrar perros; indicaría que hay una población cerca.

3. Es una ciudad y habrá un médico.

4. Ha sido un bandido y hasta ha matado a su propio padrino.

5. Oye ladrar los perros.

Interpretación

1. Es completamente objetivo. Nunca. Solamente las cuenta.

2. Capta el habla sobrio y melódico del campesino mexicano.

    • Es también un paisaje parco y seco.

3. *Las respuestas variarán.*

    • El sol alumbra el lugar para salvar al hijo; durante la noche están perdidos. Algunos críticos han especulado que la luna es la madre, que lo alumbra.

4. El padre la recuerda constantemente; ella existe en la memoria.

    • Íntima, de mucho amor; el padre la extraña mucho.

5. Hace el cambio cuando se enoja con el hijo.

    • La forma de usted crea distancia entre los dos, como si el padre apenas conociera al hijo.

    • Con la forma familiar.

6. "No me ayudaste ni siquiera en esta esperanza".

    • El padre, a pesar de lo que ha dicho, ha tenido la esperanza de salvar al hijo.

- No.
- El padre lo lleva cargado (es una carga que el padre está dispuesto a aguantar); el hijo le pide que lo baje y lo abandone, y posiblemente llora.

7. El hijo no lo desmiente; no se defiende.
   - Posiblemente.
   - Sería una confesión y arrepentimiento por sus pecados. Parte de la salvación que busca el padre no es solo lo físico sino lo espiritual. Al arrepentirse, Ignacio se salva.
   - Sí, por la descripción de que al bajarse de los hombros estaba como descoyuntado y el padre tiene que destrabar los dedos del hijo de su cuello.

Cultura, conexiones y comparaciones

1. Un estilo parco, sobrio; un trasfondo realista pero mítico y simbólico: camino, luna, perdición, salvación; sencillo a primera vista pero con un gran y profundo subtexto; etc.
2. *Las respuestas variarán.*
3. *Las respuestas variarán.*
4. A veces los amigos íntimos de la familia se denominan *uncle* aunque no lo sean.
5. Aunque los dos se sienten defraudados por sus hijos, el padre en Rulfo trata de salvar a su hijo a pesar del mal que ha hecho. El padre en Pardo Bazán abusa a su hija y le roba sus sueños de una mejor vida.
   - Este ama tanto a su hijo que no puede enfrentarse con su muerte.
6. *Las respuestas variarán.*
7. Son parcos, secos, rocosos y desiertos.
8. Actividad.

Gabriel García Márquez, "Siesta del martes" (pp. 405-412)

■ □ ■

Comprensión

1. Van a un pueblo para visitar la tumba del hijo de la familia.
2. Llovía y él se metió en un portal de la casa de Rebeca, intentó abrir la puerta y ella disparó y lo mató.
3. Boxeador. Terminaba muy mal herido, y la madre le rogó que dejara el boxeo.
4. Que no fue bien criado porque era ladrón.
   - Con dignidad. Le asegura que Carlos era un buen chico.
5. Hay calor y todos los del pueblo la están observando.
   - No. No le da vergüenza lo que hizo su hijo. Además, el dolor que siente es mucho mayor a cualquier otro sentido.

Reflexiones AP® Edition, Instructor Resource Manual and Testing Program © Pearson Education, Inc.

Interpretación

1. Es completamente objetiva: cuenta sin comentar.
2. Viajan en un vagón de tercera clase.
   - su pujanza en insistir que el cura le deje ir al camposanto, su fortaleza, su dignidad
   - su falta de piedad, su superficialidad, etc.
3. Sí. De un cura se espera compasión y perdón; este cura no muestra ni el uno ni el otro.
4. La larga descripción al principio del camino que toma el tren por las fincas bananeras.
   - Pinta un cuadro muy completo y vivo. En García Márquez parece que siempre hay un subtexto oculto.
5. Se menciona constantemente.
6. El de los dueños y otros altos empleados que disfrutan de las ganancias de las plantaciones de bananas y el de los campesinos que laboran y cosechan.
   - Introduce un discurso histórico-económico: la explotación de los campesinos por los ricos terratenientes.
7. El narrador no lo dice.
   - Llovía.
   - Llevaba una soga de cinturón y estaba descalzo.
   - Si fuera ladrón quizá tuviera zapatos.
8. "Ay, mi madre". Al saber que muere, recuerda a su madre y sabe lo que le va a pasar a su muerte y que ya no tendrá sostén.
9. Para mantener a la familia.
   - No. Es nada más que un ladrón y un pobre, una vida que no vale nada.

Cultura, conexiones y comparaciones

1. Mucho detalle, ambientes densos, narradores completamente objetivos. mucho diálogo.
2. Después del almuerzo. Suele hacer calor y además es la hora de la comida principal del día.
   - *Las respuestas variarán.*
   - *Las respuestas variarán.* El cuerpo necesita oxígeno para digerir la comida. Si se va a trabajar inmediatamente después de comer, puede perjudicar ese proceso.
   - En absoluto. La cultura de los EE. UU. está demasiado orientada al trabajo y a la producción. Es muy diferente en los países latinos.
3. El viernes 13.
4. *Las respuestas variarán.*
   - Algunos luchan para sobrevivir (Rivera y Allende); otros no tienen esa opción (Pardo Bazán).
5. *Las respuestas variarán.*
6. El padre y el padrastro de Lazarillo. Él también roba.
   - Que fueron por necesidad.
   - Sí. La madre le dice a su hijo que no robe de nadie pobre.
7. *Las respuestas variarán.*
8. *Las respuestas variarán.*

LA DUALIDAD DEL SER Y EL ENIGMA DE LA EXISTENCIA

THEME RATIONALE

TIPS FOR USING THE "ORGANIZING CONCEPTS"

- La construcción de la realidad
- La espiritualidad y la religión
- La imagen pública y la imagen privada
- La introspección
- El ser y la creación literaria

The "organizing concepts" provided by the College Board are aimed at helping students see and understand the subthemes related to the major theme. By reading these "concepts," you begin to see that this theme ("La dualidad del ser") relates to issues of human existence such as the private and public persona, the mechanisms with which individuals cope with reality, and their innermost thoughts and concerns.

Consequently, for this theme I have chosen the following works:

Unamuno's *San Manuel Bueno, mártir* provides an ideal example for this theme. San Manuel struggles with his inner conscience on the existence of God. He deals with his dilemma by presenting two separate personae: the exterior, dutiful, yet unorthodox priest and the inner, tormented man. The image, however, is not of a hypocritical man, but rather that of a spiritual being who feels he should not bother his parishioners with his personal anguish. Instead, he constructs an ideal reality in which his subjects lead a happy existence in their ignorance.

Antonio Machado, in "He andado muchos caminos," pits two types of people, which together represent humanity for the poet. One group is educated and sophisticated, and the other is simple and unpretentious. The elite group is viewed as pompous and unhappy, while the simple folks are content. The famous poem also expresses doubt in the immortality of the soul, ending with the fact that someday these folks "descansan bajo la tierra"—not in heaven.

"A Julia de Burgos" clearly demonstrates the "dualidad del ser" as the poet Julia de Burgos confronts the woman Julia de Burgos, clearly indicating that they are very different personae. The implication is that the true and honest person is the poet; the "other" is a social being confined and determined by a whole host of social obligations.

The agony of existence is on display in Neruda's "Walking around." Neruda constructs a surreal world where signs are disjointed and incomprehensible. A man walks through the created space confused, beleaguered, and shocked by the world he sees and doesn't understand.

Other works that could be read under this theme:

Don Quijote is another iconic example of the displacement of the self. Alonso Quijano (or whatever his name might be, for it keeps changing) constructs an ideal world in which knights corrected wrongs and fought injustice. He transforms himself into one of those knights and sets out to change the world. The greatness of Cervantes's novel is that the real man and his fictitious creation are fused to the extent that the reader seldom knows if the protagonist's actions are real or not. This point is driven home in Chapter V, when a neighbor tries to tell don Quixote that he's actually Alonso Quijana, and don Quixote responds: "Yo sé quien soy, y sé que puedo ser no solo los que he dicho, sino todos los doce Pares de Francia."

Quirogas's "El hijo" exemplifies a duality caused by psychosomatic causes. The father, rather than create a new reality in which to escape, actually hallucinates, which is a physiological condition. The death of the son serves as the outside stimulus to trigger a psychosomatic reaction. In the other cases, the newly created reality or self were not related to physiological factors.

"Borges y yo" makes a good pairing with "A Julia de Burgos" in that they both show the divide between the artist and the public persona. In Borges, however, the lines are not as clearly drawn, confusing the reader as to who is who.

Borges's "El sur" also displays characteristics of this theme. Here, however, the divide is between the man of flesh and blood and the unconscious mind. Dahlmann, on his deathbed, imagines (creates?) another persona that is much more to his liking. While the dying Dahlmann is a bookish intellectual, his recreation is a rugged man of action. The intellectual dies a nonmomentous death from blood poisoning, while his alter ego dies in battle wielding a dagger.

In Cortázar's "La noche boca arriba," a similar bifurcation occurs. The motorcycle driver, on his deathbed, recreates another space and imagines being hunted down for human sacrifice by Motec Indians. The play, in the end, reveals that it was actually the Motecs who were recreating another space with avenues, tall buildings, ambulances, and motorcycles. The story has been read as encompassing the two sides of Latin American identity: the European and the indigenous. While typical historical analysis looks back into Mexico's indigenous past, in this story the past looks forward to the future.

Fuentes's "Chac Mool" deals with transformations. On the one hand, Chac Mool is an extension of Filiberto's being—his Mexican side. On the other, however, he escapes his Mexican heritage when the indigenous part of his psyche takes control of him. Consequently, he retreats to his European side (the German hotel in cosmopolitan Acapulco).

Guillén's "Dos abuelos" also illustrates a duality, as the poetic persona is of mixed racial heritage. But unlike Fuentes, this fusion does not create antagonism or anguish to the psyche. Instead, the duality is a source of pride and optimism.

Lorca's "Antoñito el Camborio" could be read in light of "la dualidad del ser." Antoñito is actually two people: his authentic self and a representative of his group. His authentic self, however, cannot break away from his "group" perception, so he is forever a representative of Gypsy heritage. It makes for provoking commentary on the dangers of stereotyping.

The Dragún play portrays a man who becomes a dog. Each part might be considered the duality of existence. This piece, however, is different from others because the man is forced by social and economic forces to accept a new being. In the other works, the protagonists (Manuel, Lazarillo, Don Quijote, etc.) purposefully chose to create a new persona to deal with the issue that confronted them.

Possibilities for organizing concepts:

TEMA	AUTORES
LA DUALIDAD DEL SER	
La construcción de la realidad	*DQ*, Unamuno, García Márquez (Ahogado), Borges (Sur), Cortázar, Ulibarrí, Fuentes
La espiritualidad y la religión	*Burlador*, Unamuno, Lorca (*Bernarda*), Rivera, García Márquez (Siesta)
La imagen pública y la privada	Unamuno, Lorca (*Bernarda*), Burgos, Borges (Yo), Allende
La introspección	Quevedo, Storni, Neruda, Borges (Yo), Ulibarrí, Fuentes
El ser y la creación literaria	*Lazarillo*, *DQ*, Unamuno, Borges (Yo)

TEACHING SUGGESTIONS

TIPS FOR TEACHING LITERARY HISTORY

1. Two major representatives of Spain's Generation of '98 are included in this chapter (see pp. ¿?–¿?). It should be made clear that the Generation of '98 is not a literary or cultural movement in the way that Romanticism or *Modernismo* is. It refers strictly to a group of outstanding writers who wrote between the late nineteenth century and the Spanish Civil War, and they all experienced Spain's defeat in the Spanish-American War of 1898. As a result, they all address, in one way or another, the "problem" of modern Spain. (The works on the AP list, however, do not illustrate this.) They were also influenced by the *modernistas* as well as the emerging philosophy of Existentialism and the vanguard movements.

   Unamuno was particularly influenced by existentialist thought, and his personal agony—related to the existence of Christ and of an afterlife—is at the core of most of his works, as evidenced in *San Manuel*. Machado, to a lesser extent, was also an agnostic. "He andado muchos caminos" ends with the peasants resting in their graves without any reference to the transcendence of the soul.

   The Generation also revolted against the prevailing literary trends. Unamuno, for instance, rejects the novels of Realism and writes novels of ideas, where reality is idealized in order to emphasize existential concerns.

   Although Unamuno wrote fine poetry, the great poet of the Generation is Machado. His opus ranks among the most beloved in the Spanish world, probably because of his capacity to create passion and emotion in his verse. His work reflects his own feelings, but these sentiments are always human and universal.

   The most "complete" figure of the Generation is not represented in the AP list: José María de Valle Inclán. He cultivated all the genres and excelled in them—and transformed them. Valle is the finest exponent of *Modernismo* prose, but he later moved on to a more modern type of novel, more typical of *Vanguardismo*, which he called the "esperpento." In theater, he may well have been the first European exponent of the theater of the absurd.

2. The most suitable vanguard movement to literary expression was Surrealism, and the Hispanic world produces some of Europe's finest poetry in that vein (see pp. ¿? and ¿?–¿?). It certainly produced its greatest painter: Salvador Dalí. Surrealism was greatly influenced by the psychoanalysis promulgated by Sigmund Freud and his theory of dreams. Writers and artists attempted to take to words and painting these

strange associations that the mind creates in dreams but which open onto a wider and deeper consciousness.

Neruda's "second" manner exemplified this movement, and "Walking around" is a good example. The best way to deal with Surrealism is through art. Project pictures by Dali and ask the students to interpret them. Each will come up with a different theory, and no one is right or wrong. In the poem "Walking around," students will be able to visually imagine each of the signs, but they may not be able to see connections. You cannot analyze surrealist poetry with the same criteria and methods used with other forms of poetic expression. It requires a more "impressionistic" and personal interpretation as well as an overall impression of the mood created by the artist.

TIPS FOR TEACHING LITERARY ISSUES

1. Tone (*tono*) and mood (*ambiente*) are distinguishable literary terms, and many questions on the AP exam raise the issue. Hugh Holman suggests that mood is "the emotional attitude of the author toward the subject" and tone "the attitude of the author toward the audience." In other words, tone is evident in the diction and style of the work, while mood is created by the setting. Both relate to how the reader responds emotionally to what he or she reads.

    Some examples of tone are: dramatic, poetic, elegant, colloquial, informal, intimate, solemn, ironic, humorous, etc. Examples of mood are: melancholy, happy, sad, gloomy, bright, playful, soothing, tragic, comic, etc. And the list can go on forever. You need to sensitize your students to these issues, although not necessarily drawing a strict dichotomy between them.

    In *San Manuel* we might observe a nostalgic, intimate, lyrical, and confessional tone. And this tone helps create an ambience that can be described as sensorial, idyllic, impressionistic, etc. Let your students come up with other options.

2. The literary concept of *desdoblamiento* (no clear counterpart in English) relates to the projection of the self in another. The two most obvious examples on the AP list are "A Julia de Burgos" and "Borges y yo." In both cases, the human self projects the artistic self, and together they form the complete person. In the Burgos poem, however, the artistic self rises in triumph over the human self, while in Borges the two fuse to the point of each being undistinguishable from the other.

    There are other examples of this process. Don Quixote projects himself onto a knight and adopts the projected self as his true being. The intention here is not to show the two sides of the individual, but rather to illustrate how a projected self (the knight Don Quixote) can totally displace the original. One can also speak of a type of *desdoblamiento* in Borges's "El sur," where Dahlmann projects himself in another figure more to his liking.

POSING ESSENTIAL QUESTIONS FOR DISCUSSION

The College Board recommends posing general questions in each chapter as a means of understanding the thematic connections between the works. The ones they propose are merely suggestions; you can come up with your own questions. I think these questions are an ideal way of reviewing the theme before going on to the next chapter. Here are some questions for "La dualidad del ser" and the works that might be mentioned to address them:

1. ¿Qué preguntas plantea la literatura acerca de la realidad y la fantasía?

- Algunas obras se basan totalmente en la realidad: *Lazarillo*, *Bernarda Alba*, "La siesta del martes", "Las medias rojas, los cuentos de Rivera, etc. Otras traspasan los límites de la realidad y entran en otros mundos fantásticos o mágicos. Esta última característica se da principalmente en el siglo XX, pero el gran experimentador con el tema es Cervantes, cuyo héroe crea en su mente un mundo pasado e imaginario. Cuando quiere, se retira a ese mundo y vive su sueño de ser un caballero andante. Las siguientes obras juegan con la realidad y lo fantástico: "El sur", "La noche boca arriba", "Chac Mool" y "El ahogado más hermoso del mundo".

Don Quijote plantea en la literatura occidental una pregunta fundamental y universal: ¿Qué es la realidad? A lo largo de la obra, se le da vueltas constantes a ese dilema. Don Quijote altera la realidad para sus propias necesidades: cuando está cansado transforma una venta en castillo; cuando tiene que impresionar a Sancho transforma los molinos de viento en gigantes. Cuando su escudero le recuerda que eran molinos de viento, el caballero le da la razón, pero dice que fueron sus enemigos (los malignos encantadores) quienes transformaron los gigantes en molinos, etc. Siguiendo las ideas de Platón, las cosas están en un constante estado de cambio: una silla puede ser un trono para un rey o una escalera para alguien que necesite encaramarse. Como resultado, no es fácil fijar la realidad; todo depende del punto de mira de cada individuo y el contexto en el cual existe.

En las obras del Boom, lo fantástico suele estar ligado al tiempo o a la subconciencia. Dahlmann, en un cortísimo espacio de tiempo cronológico, se inventa otro mundo pasado y fantástico como escenario para su muerte. Cortázar yuxtapone dos mundos paralelos: el nuestro y el del pasado. Desde nuestra perspectiva, el pasado nos parece fantástico e irreal. Pero luego descubrimos que desde el punto de vista del pasado, el mundo nuestro es el que parece irreal. Así enfatiza el autor que la realidad es relativa. Los cuentos de Fuentes y García Márquez contienen elementos de lo mágico y lo fantástico. En cada caso algo fantástico ocurre: una estatua se convierte en un dios vivo, y un cadáver de dimensiones descomunales aparece ahogado en las orillas de un pueblo. En estos casos, lo fantástico contiene un significante simbólico: la humanización de Chac Mool representa el mundo indígena volviendo a tomar poder en la realidad mexicana, y Esteban tiene poderes transformadores para la realidad del pueblo.

2. ¿Es el desdoblamiento un proceso normal, sano o pernicioso para el individuo?

- El *Quijote* contiene una mina de ideas para debatir esta noción. Alonso Quijano realiza su sueño de ser lo que quiere ser creando un mundo imaginario y viviendo en él como si fuera normal. Psíquicamente, su decisión es positiva para él. Sin embargo, sus acciones no siempre tienen los resultados positivos que él quisiera, como se ve claramente en el episodio de Andrés.

- En *San Manuel*, el desdoblamiento es conflictivo. Manuel hace el papel de un sacerdote ejemplar para dar felicidad a sus feligreses, pero lucha cada día con su hipocresía. El lector tiene que decidir si hace bien o no. El lector ortodoxo y creyente lo condenaría por sus dudas en el credo más fundamental del catolicismo: la trascendencia del alma.

- En las obras de Borges y Burgos, el desdoblamiento es lógico y normal: el conflicto que existe entre el ser de carne y hueso y el ser artístico. Es por esta razón que, cuando analizamos una obra literaria, usamos los términos "narrador" y "yo lírico" en vez de "autor", porque el que escribe no es el ser de carne y hueso, sino el artista. Y las ideas que expresa no son necesariamente las suyas.

3. ¿Cómo se reflejan el enigma de la existencia y las creencias en cuanto a la muerte?

- En *Lazarillo* no hay en absoluto reflexión sobre la existencia o la muerte. Lo único que importa es lo material y el bienestar. Es por esta razón, además de sus críticas anticlericales, que la obra fue lectura prohibida en el Siglo de Oro. El autor del *Lazarillo* no es un creyente, una postura muy contraria al modo de pensar de su época.

- El concepto de la muerte y la vida después de la muerte en el Siglo de Oro se manifiesta claramente en el *Burlador*. Para llegar a la gloria hay que llevar una vida digna; don Juan, sin embargo, lleva una vida de perfidia y es condenado al infierno. Se debatía en aquella época si el acto de contrición —en el cual uno se arrepiente de sus pecados antes de morirse— podía salvar el alma de un pecador empedernido. La condena de don Juan claramente muestra en qué lado del debate se encontraba Tirso.

- La obra que mejor refleja el enigma de la existencia es *San Manuel*. El sacerdote lucha cada día con su fe. La vida eterna es lo que el hombre desea, pero si no existe, entonces solo queda la existencia en que vivimos, y hay que aprovecharla. Pero esa idea crea un profundo "sentimiento trágico de la vida". Sin embargo, Manuel no quiere preocupar a su congregación con sus propias dudas. Irónicamente, el único a quien se lo confiesa es a Lázaro, un ateo. Y las dudas de Manuel terminan trasformando el modo de creer de Lázaro.

4. ¿Cómo se han mezclado el concepto filosófico y psicológico de la dualidad del ser con la dualidad de la identidad hispanoamericana?

- La dualidad del ser tiene una faceta que va más allá de lo estrictamente psíquico; incluye también la doble herencia étnica del mundo hispánico. Asombra el número de obras que se enfrentan de un modo u otro con este tema: "Nuestra América" (Martí), "El sur" (Borges), "Balada de los dos abuelos" (Guillén), "Prendimiento de Antoñito el Camborio" (Lorca), "La noche boca arriba" (Cortázar), "Chac Mool" (Fuentes).

CAPÍTULO V:
LA DUALIDAD DEL SER Y
EL ENIGMA DE LA EXISTENCIA

Unamuno, *San Manuel Bueno, mártir* (pp. 430-455)

■ □ ■

Comprensión

1. La narradora de la vida de Manuel, quien es su padre espiritual.

2. Es el cura del pueblo. Todos lo estiman y admiran. Hace que todos sus parroquianos vivan felizmente y sin preocupaciones teológicas.

3. En absoluto. Permite que entierren en el camposanto a uno que ha asesinado, lo cual va en contra de la fe católica; hace que un parroquiano se case con una mujer que está encinta con el hijo de otro; se niega a hacer a un delincuente confesar su delito porque esa confesión puede condenar al hombre a la pena de muerte; etc.

4. De las inquietudes espirituales suyas, como si hay infierno o no.

   • Que se case y críe hijos para no tener tiempo para pensar en esas preocupaciones.

5. Es el hermano de Ángela que vive en el Nuevo Mundo.

   • Era agnóstico; creía que la religión era una forma de controlar al pueblo, manteniéndolo ignorante.

6. Le hace prometer a la madre moribunda que rezará por ella, aunque Lázaro no cree en la religión.

7. Que él también es agnóstico y duda en la resurrección del alma.

   • Está escandalizada; no lo puede creer.

8. No le parece justo que sus preocupaciones e incertidumbres aflijan al pueblo; su propósito es mantenerlos contentos con la promesa de una vida eterna.

9. Todos lloran; van a su casa para llevarse algún recuerdo porque están seguros que era santo.

Interpretación

1. Ángela. Narra en primera persona de su contacto y conocimiento de don Manuel.

   • Tiene un fin personal; no es una narración objetiva.

   • Cuentos que le dicen en el colegio; luego sus propias experiencias y lo que le cuenta Lázaro.

   • Todo lo que narra Ángela en el presente son recuerdos del pasado.

   • No, dice que no sabe si vio o soñó lo que escribe.

- A sus lectores. Nosotros somos sus lectores, pero también el obispo que está escribiendo su propia biografía para la santificación de Manuel.
- El obispo. Para que sirva de manual para el párroco ideal.
- No lo puede decir. El lector tiene que intuir que se lo mandó Ángela.
- Anularía el proceso.

2. La escritura de Ángela es subjetiva y no se puede confiar en sus fuentes de información. Irónicamente, ella expresa admiración por Manuel; sin embargo, su escritura invalidará el proceso de su beatificación. El hecho de que esa escritura llegue a las manos del autor explícito es solo un ejemplo de que la obra se está diseminando.

3. Al mantenerse activo no le da tiempo para pensar en sus inquietudes.
- La única vía a la vida eterna son las obras que uno hace durante la vida. El bebé no tiene tiempo para conseguir esa pequeña posibilidad.
- El pueblo necesita paz y felicidad; la política conturba al pueblo.

4. Para mantenerlo embriagado para estar feliz.
- Con el opio, la gente está en un estado ebrio sin pensar en cosas contundentes. Marx lo decía como crítica de la iglesia, cuya intención, según él, era mantener a la gente ignorante y controlada. Manuel quiere mantener al pueblo ignorante, porque eso conduciría a la felicidad.

5. *Las respuestas variarán.* Es un *Leitmotiv* porque se repite muchas veces a lo largo de la novela y sirve como un elemento estructurante. Puede significar muchas cosas: la montaña va hacia el cielo, el lago hacia abajo (el infierno), etc.

6. Hay aliteración en "cre", la cual crea efectos sonoros; las repeticiones de las mismas palabras es semejante a la epífora en la poesía. La ironía es que terminaron creyendo sin creer —una clara paradoja.

7. No tiene marco temporal.
- No.
- No es una narración realista o social; es una novela de ideas. El autor implica que son asuntos eternos, no ligados a un momento histórico.

Cultura, conexiones y comparaciones

1. No.
- No.
- Ver la última pregunta de *Interpretación*.

2. • Manuel agoniza. Cree que la existencia que vive es la única existencia. No hay existencia después de la muerte. Cuando el hombre muere, muere del todo. Unamuno llamó este conflicto "el sentimiento trágico de la vida".

3. *Las respuestas variarán.*

4. Que la novela es bastante herética.
- *Las respuestas variarán.*

5. *Las respuestas variarán.*

6. *Las respuestas variarán.*

7. *Las respuestas variarán.*

Machado, "He andado muchos caminos"
(pp. 455-457)

■ □ ■

Comprensión

1. Con verbos de diferentes actividades: andar, abrir, navegar, atracar.
2. *Las respuestas variarán.*
   - Son tristes, soberbias, melancólicas, presuntuosas, farsantes ("al paño") y arrogantes (creen que saben lo que es el buen vivir).
3. *Las respuestas variarán.*
   - Danzan, juegan, trabajan, no son ambiciosos ni mezquinos ni arrogantes (toman cualquier vino), etc.
4. Lo dice explícitamente: "son buenas gentes".
5. La actitud que no hay vida eterna, que cuando mueren los pobres descansan bajo la tierra.

Interpretación

1. Ocho. Octosílabo.
   - asonante
   - e/a en versos pares
2. El encabalgamiento no permite que la voz pare al fin del verso; por lo tanto, no se enfatiza la rima. Al seguir rápidamente al próximo verso, no se oye la rima.
3. En la oposición de tierra y mar.
4. Cabalgan en mulas viejas, solo tienen cuatro palmos de tierra, repite el verbo "laborar" dos veces.

Cultura, conexiones y comparaciones

1. El Romancero es producto del pueblo, y este poema elogia los valores del pueblo.
2. *Las respuestas variarán.*
3. *Las respuestas variarán.*
4. *Las respuestas variarán.* Se toma el vino con la comida.
   - Por lo general, en EE. UU. se toma vino como un tipo de *cocktail* o aperitivo. En Europa siempre acompaña la comida.
5. Los multimillonarios y la clase media; los ambiciosos y los satisfechos; los republicanos y los demócratas; etc.
6. *Las respuestas variarán.*
7. *Las respuestas variarán.*

Reflexiones AP® Edition, Instructor Resource Manual and Testing Program © Pearson Education, Inc.

Julia de Burgos, "A Julia de Burgos"
(pp. 460-463)

■ □ ■

Comprensión

1. El yo es la poeta y el tú es la mujer. Sí, son facetas de la misma persona.
2. Yo: la verdad, sincera, altruista, libre e independiente, manda a sí misma, pueblo, etc.; tú: la mentira, hipócrita, egoísta, atada a su marido y a la sociedad, todos la mandan, aristócrata, etc.
3. Hipocresía: hace lo que demanda la sociedad.
4. Sinceridad: hace lo que es natural y justo.
5. No, "el más profundo abismo se tiende entre las dos".
6. Ver *En contexto*.
7. La poeta.

Interpretación

1. Catorce (alejandrinos). No hay patrón. Verso suelto o blanco.
2. La mujer social tiene que aparentar su feminidad: rizarse el pelo, pintarse, etc. Tiene que obedecer a su marido, sus padres, la religión y las fuerzas sociales. Como esposa tiene que ser sumisa y satisfacer primero a su esposo, etc.
3. Frío/destello, atar/correr desbocado, aristocracia/pueblo, etc.
4. La poeta representa todo lo bueno y la mujer social todo lo malo. El bien triunfará sobre el mal.
   - La primera virtud es la humildad, y la poeta no es humilde. Todo lo contrario, se jacta de su superioridad como persona.
5. ("mi voz / tu voz" [4]; "no mandas / te mandan" [24]; repetición de "mi" [30]; etc.)
   - 27-29; 32-33
   - Muchas empiezan con "tú".
   - Es fónica y pone énfasis.

Cultura, conexiones y comparaciones

1. En "Tú me quieres blanca" Storni se queja de que la mujer tiene que mantener su pureza; en "Peso ancestral" dice que la mujer es la que tiene que aguantar todo el sufrimiento de la familia; etc.
2. Por eso se habla de un "yo lírico".
   - Precisamente porque el uno puede ser diferente del otro.
   - Son la misma cosa. Pero se debe confesar que parece haber una relación más íntima entre el autor y su yo en la poesía.
3. En Borges los límites entre el hombre y el poeta se borran. En Burgos hay una clara división.

Reflexiones AP® Edition, Instructor Resource Manual and Testing Program © Pearson Education, Inc.

4. Un *split personality* —uno bueno y otro maligno.
   - *Las respuestas variarán.*
   - Las dos personas existen en un solo cuerpo. Y como en la novela de Stevenson, representa una oposición binaria entre el bien y el mal.

5. *Las respuestas variarán.*

Neruda, "Walking around" (pp. 463-466)

■ □ ■

Comprensión

1. De su persona física, de su existencia, de su rutina diaria, del mundo que lo circunda.

2. Matar a una monja y asustar a un notario.
   - Bastante grotescas.

3. Raíz, "extendido . . . hacia abajo, en las tripas mojadas de la tierra", tumba (bodega con muertos), subterráneo, etc.

4. El dolor de ver a tanta gente sufrir.

5. Los huesos que salen de las ventanas de los hospitales, zapaterías que huelen a vinagre, intestinos colgados de las puertas de las casas, dentaduras en cafeteras, espejos que lloran, ombligos en todas partes, etc.

6. Empujar, pasearse, cruzar. Hay signos urbanos: hospitales, zapaterías, calles, casas, oficinas de ortopedia, patios, ropa secándose, etc.
   - "intestinos colgando de las puertas", "dentaduras olvidadas en una cafetera", etc.

Interpretación

1. No tiene número fijo de sílabas ni rima.
   - Típico del Surrealismo, el poema carece de una organización rígida de ideas, así que el verso libre es apropiado para un poema libre.

2. Irónico y de decepción. Con desesperación, repugnancia, pena, furia, etc. Casi todos los signos ayudan a expresar el tono angustioso del poema.

3. Se cansa de las partes de su cuerpo y de seguir sustanciándose (absorbiendo líquidos y comiendo).
   - Todo lo que ve en su paseo es antinatural; las cosas no son como deben ser (la ropa recién lavada produce gotas sucias, etc.).

4. Para absorber agua; para que se mantenga viva; etc.
   - No quiere vivir; no quiere tener la responsabilidad de ser un sostén; etc.

5. Sucede/sucede, sólo/sólo, no/no, y/y, a/a, hay/hay, etc.; "sucede que me canso de ser hombre" combina /s/ y /e/, sonidos nasales en /m/ y /n/, etc.; estrofa 8; estrofas 8 y 9.
   - Es como una gradación descendente con aliteración en /l/. Además de su efecto fónico, hace que el verso se lea despacio, como gotas que caen.

6. Los espejos y la ropa lloran. Pero las lágrimas, en vez de ser limpias, como se esperaría de ropa lavada, son sucias.

Reflexiones AP® Edition, Instructor Resource Manual and Testing Program © Pearson Education, Inc.

Cultura, conexiones y comparaciones

1. *Las respuestas variarán.*
   - Hay muchos ejemplos. Uno favorito es el espejo que llora de "vergüenza y espanto". O sea, el espejo refleja al hombre, y lo que se ve es abominable.
2. No hay relaciones obvias entre los signos. Hay un hombre solo y confundido al fondo, como el yo lírico que camina por la ciudad sin entender lo que ve. Los árboles secos y el paisaje rocoso crean un tono de angustia, etc.
3. *Las respuestas variarán.*
4. *Las respuestas variarán.*
5. *Las respuestas variarán.*
6. *Las respuestas variarán.*

Reflexiones AP® Edition, Instructor Resource Manual and Testing Program © Pearson Education, Inc.

LA CREACIÓN LITERARIA

THEME RATIONALE

TIPS FOR USING THE "ORGANIZING CONCEPTS"

- La intertextualidad
- La literatura autoconsciente
- El proceso creativo
- El texto y sus contextos

The "organizing concepts" provided by the College Board are aimed at helping students see and understand the subthemes related to the major theme. By reading these "concepts," you begin to see that this theme ("La imaginación y la creación literaria") relates to metaliterary and metalinguistic issues (i.e., how works reflect their own process of creation) and how literature plays a role in literary creation (intertextuality).

Consequently, for this theme I have chosen the following works:

Don Quixote is the hallmark for this line of inquiry, and the prototype for all Western literature, which has been fascinated with the complexities of narrative point of view and self-conscious narration. The implied author claims to base his novel on historical sources from the annals of La Mancha. When this source of information dries up, he finds a manuscript on the life of Don Quixote written in Arabic, and he hires a Morisco to translate it. The source, then, is an account of an Arab author translated by an untrustworthy translator and rewritten by the implied author. The reader, therefore, is so far removed from the truth that one can barely trust what one reads. This metanovelistic play is not only clever, but it also raises a fundamental question: What is reality, and how can we be certain that what we read or see is actually true?

On an intertextual level, Don Quijote reads and assimilates chivalric novels. His life is based on these works, illustrating the transforming power of literature.

In "Borges y yo," the narrator speaks explicitly about artistic creation. Who writes—the human being or a creative alter ego that exists within him? Borges's point is that the two become fused and confused.

Fuentes's "Chac Mool" presents a very challenging play with narrative point of view. All the reader and the narrator know is what we read in Filiberto's diary. This type of writing is very unique, because it is not intended to be understood by others. Its intended addressee is the emitter of the message. Consequently, we do not understand exactly what was going on in Filiberto's life to drive him to his death. What we do know is that he appeared to be hallucinating, thinking that the statue of Chac Mool was transforming into a living being and attempting to dominate Filiberto. The narrator, like the reader, understands that this is purely fantastic; yet when the narrator returns the body to Filiberto's house, he is greeted by Chac Mool. The meaning is very Cervantine. Where does reality end and the fantastic begin? What is true and what is not?

"El ahogado más hermoso del mundo" by García Márquez lies in the realm of Magical Realism. As in other stories of his (e.g., "Un señor muy viejo con unas alas enormes"), an unexpected figure invades someone's space and causes a transformation. The "magic" comes from the fact that the invader is not a recognizable figure, and the "realism" is that the people affected are not entirely surprised by the presence of the unknown object. These magical appearances seem to represent something, although what they represent is never explicit. They clearly, however, have a transforming power. The *ahogado* brings new excitement and creativity to the village, and the residents are thus able to escape their insularity. In García Márquez' stories, the creative imagination is given free rein.

Ulibarrí's "El caballo mago," is a poetic allegory of a boy coming of age. The horse takes on a number of symbolic meanings that a child must learn to become a man. Beyond the obvious sexual symbolism, the horse is also an ideal, an unattainable goal, the beauty of the intangible, etc.

Other works that could be read under this theme:

Juan Manuel's *apólogo* has a surprisingly modern narratological complexity. The narrator creates a character, Patronio, who then narrates a story. Patronio has a *narratario* (the Conde Luncanor). The story is supposed to contain a clear message, and it appears to do so: the need to tame wild women and show them who rules the roost. Yet when the explicit author, Juan Manuel, presents the moral of his book, he states something quite different: one should let oneself be known from the very beginning. Thus, we have two morals, and this points to a very fundamental aspect of literary expression: a message can be interpreted in different ways by different addresses. In this way, the story has a metaliterary discourse, because it expresses notions of the complexity of the circuit of communication in the literary message.

In *San Manuel Bueno, mártir*, we have two narrators: Ángela, who narrates what she recalls of the life of Manuel (note that she writes in old age of her youthful recollections), and the explicit author, Unamuno, who intervenes at the end and comments on the novel (a clear example of self-conscious narration). But even more intriguing is the fact that the narrator states that the archbishop is investigating and gathering testimony for the canonization of Manuel. What will happen when Ángela's manuscript reaches the archbishop? Clearly, her testimony will derail the investigation and deny Manuel sainthood. This puts into question the narrator's objective for writing. She claims to write a memoir, but she is actually writing a diatribe against Manuel.

"Dos palabras" offers a marvelous metalinguistic example. Belisa uses words in the same way the author, Isabel Allende, does (note that "Belisa" is a transformation of the syllables of "Isa-bel"). The story is actually about the power of words. Belisa'a speech, memorized by the *Coronel*, moves audiences and brings transformation. The saying that "The pen is mightier than the sword" is fitting here. Also, her two enigmatic and magical words totally alter the character of the *Coronel*, who changes from a crude, war-mongering, and power-hungry military man to a sensitive human being who wishes peaceful social change. Again, this is a story about words written with words—a metalinguistic discourse.

Although there are no examples of metapoems on the AP list, *Reflexiones* does have two famous examples from Lope de Vega and Juan Ramón Jiménez. In each, the poet talks about poetry. They are short and fairly simple and worth reading with your class. Also, if you are familiar with the previous longer AP reading list, the Bécquer poem that begins with "No me digáis que agotado tu tesoro" is also a metapoem.

Possibilities for organizing concepts:

TEMA	AUTORES
LA CREACIÓN LITERARIA	
La intertextualidad	*DQ*, Darío, Borges (Sur), García Márquez (Ahogado)
La literatura autoconsciente	Juan Manuel, *Lazarillo*, *DQ*, Unamuno, Borges (Yo), Burgos, Fuentes
El proceso creativo	*DQ*, Borges (Yo), Burgos, Fuentes, Allende
El texto y sus contextos	Aquí cabe prácticamente todas las obras que se quiera.

TEACHING SUGGESTIONS

TIPS FOR TEACHING LITERARY HISTORY

1. The fantastic is not an invention of the twentieth century, but it was in that period that many Boom authors began to embrace it in many forms. There are fantastic elements in *Don Quixote*, especially when the protagonist descends into the *cueva de Montesinos* and experiences fantastic visions. Upon ascending, Sancho does not believe his master's story. In the second part of the novel, Sancho is blindfolded and made to believe he is traveling through space. When he returns to Earth, he tells Don Quixote of the wondrous things he saw in space. Don Quixote refuses to believe him. But the two reach an agreement: if Sancho will believe the Montesinos story, then Don Quixote will believe Sancho's. Wow! Reality, therefore, can simply be a mutual agreement, although each knows that the reality is false. How profound!

   There may be confusion between the concept of "fantastic" literature and "Magical Realism," and rightly so. A strict delineation is not of great importance. But in their readings there is an example of the fantastic ("Chac Mool") and of Magical Realism ("El ahogado"). In the Fuentes story, fantastic things occur that the reader clearly recognizes (as does the narrator who reads Filiberto's diary). But at the end, the narrator and the reader are proven wrong. Chac Mool does exist: he opens the door of Filiberto's home to allow the cadaver to enter. Cortázar's "La noche boca arriba" probably falls into this category, although in a clever, unique manner.

   In *realismo mágico*, fantastic events occur in a realistic (albeit odd) setting. The characters and the narrator view these fantastic events as fairly normal occurrences. They may differ in their speculation of what the strange object is or represents, but they accept it and deal with it.

   The fantastic elements in "El sur" are of a different order. The work contains dream visions and plays with time and space. Dahlmann constructs in his mind a different space in which to die—but the space is real to the reader.

TIPS FOR TEACHING LITERARY ISSUES

1. This is the chapter in which to teach the concept of "meta": metaliterature, metanovel, metapoem, etc. *Meta* is a Greek prefix that means "self." It is used in contemporary literary criticism to refer to literary genres or elements that reflect back to themselves. In other words, when a poem talks about poetry or poetic creation, it is reflecting on itself; therefore, it's a metapoem. (The adjective is *metapoetic*.) A poem within a poem, a play within a play, and a story within a story also have metaliterary features.

Metalinguistic discourses occur when there is a self-conscious reference to language in literature. In lines 126–136, Chapter II, in *Don Quijote*, the narrator talks about the different terms for the same type of fish in different parts of Spain. Don Quijote does not understand the term *truchuela* for the fish he is served, since as a *castellano* he knows it as "abadejo." Here the narrator addresses the issue of the use of words and the fact that even language does not have stable meaning— a clear example of metalanguage.

In self-conscious narration, the author is conscious of his or her role as a writer. The term "implicit author" is quite often part of the discussion of self-conscious narration. Usually, a writer creates a narrator who tells the story and leads the reader through the maze of information. Sometimes we hear another voice interrupt the narrator; this voice is usually that of the author—whom we call the "implied author" because we can't be sure that it's the author or an author invented by the real author. This implied author comments on issues regarding the narration. For instance, an implied author in *Don Quijote*, at the beginning of Chapter IX, speaks in the first-person plural to his audience and explains that he no longer has sources of information with which to continue the story. This is self-conscious narration: the author is conscious of his role as a writer. In *San Manuel Bueno, mártir*, Unamuno himself enters the narration at the end. Here it is not an "implied author," but rather an "explicit author," because he names himself. Nevertheless, we cannot assume that the Unamuno who intervenes is the real Unamuno, because he says he found the manuscript of *San Manuel*, while we know that he actually wrote it. Here again we have self-conscious narration.

The masterwork of self-conscious narration is "Borges y yo," because Borges (real author) projects himself as both a character Borges and as the author Borges and fuses the two to the point that the reader is unable to distinguish between them.

2. The modern concept of intertextuality refers to literary works that appear explicitly in other literary works or implicitly through similar features. In "El sur," Dahlmann is reading *A Thousand and One Nights*, the famous work of Arabic literature in which Scheherazade finds a way to prolong her life by telling stories. Clearly, the book has relevance for Borges's story. But intertexts are not usually so explicit. The world that Dahlmann creates in his mind in which to die resembles the setting of *Martín Fierro*, a great Argentine Romantic epic poem by Miguel Hernández. Any Argentine reader of the story would immediately recognize the parallels.

Intertexuality works in other ways too. In "El ahogado," we have reminiscences of Jonathan Swift's *Gulliver's Travels*. When Gulliver's ship is destroyed in a storm, Gulliver is washed ashore on the island of Lilliput, where he is discovered by Lilliputians, who are very small people that view Gulliver as a giant. Gulliver is well treated and helped, and in return he helps the Lilliputians defeat their enemy, the Blefuscudians. Granted, the plot details are not exactly alike, but they are sufficiently similar to warrant comparison.

POSING ESSENTIAL QUESTIONS FOR DISCUSSION

The College Board recommends posing general questions in each chapter as a means of understanding the thematic connections between the works. The ones they propose are merely suggestions; you can come up with your own questions. I think these questions are an ideal way of reviewing the theme before going on to the next chapter. Here are some questions for "La creación literaria" and the works that might be mentioned to address them:

1. ¿Qué motivos provocan a los escritores a crear sus obras literarias?

Por lo general, la literatura es una vocación creativa, imaginativa y artística cuyo único propósito es entretener y/o hacer pensar. Sin embargo, algunas obras se escriben por motivos más trascendentes:

- Hernán Cortés escribe sus cartas no solo para informar al rey de sus descubrimientos, sino también para establecerse a sí mismo como el único y más destacado conquistador de México.

- *Lazarillo* a lo mejor fue escrito por un judío converso que se sentía marginado en la España de su época y había abrazado los cambios de la Reforma: la corrupción del clero y la hipocresía de las bulas eran temas de crítica de los protestantes. También quería pintar un cuadro de España que contradijera la imagen oficial que la monarquía quería proyectar.

- *El burlador de Sevilla* es una obra religiosa en que Tirso expresa su postura frente al debate del acto de contrición que decía que si se confesaba sinceramente los pecados antes de morir, la salvación se aseguraba. Claramente, Tirso era de otra opinión.

- Sor Juana critica a los hombres que seducen a las mujeres, así arruinando sus vidas.

- Quevedo usa el estilo Barroco en "Miré los muros de la patria mía" no para jugar con un tema latino como el *carpe diem*, sino para expresar la decadencia militar de España.

- Martí escribe con propósitos muy claros sobre los problemas que él ve, los cuales enfrenta Hispanoamérica: el racismo, la falta de interés en lo autóctono americano, la mala preparación de los gobernantes, el imperialismo norteamericano, etc.

- Darío en "A Roosevelt" también ataca el imperialismo.

- Unamuno usa su novela para expresar una preocupación fundamental central a su sistema filosófico, expresado de otro modo en *Del sentimiento trágico de la vida*: si Dios no existe, entonces ¿para qué vale la vida?

- Tomás Rivera quiere sensibilizar a su público en cuanto a las dificultades que sufren los jornaleros ambulantes mexicanos: la explotación, el choque cultural, la falta de estabilidad, etc.

- Osvaldo Dragún quiere dramatizar los efectos deshumanizantes de situaciones económicas desesperantes.

2. ¿Qué nos revelan la escritura autoconsciente y la metaliteratura respecto a la creación literaria?

- *El conde Lucanor*, por medio de las diferentes interpretaciones del relato que cuenta Patronio (la necesidad de domar a las mujeres y que uno debe darse a conocer al principio de una relación), subraya la complejidad del acto comunicativo: un mismo mensaje puede ser recibido de diferentes modos por diferentes destinatarios.

- En *Lazarillo* vemos cómo un texto en la voz de primera persona puede parecer una verídica autobiografía. Sin embargo, Lazarillo es la invención de un autor culto.

- El discurso metaliterario del *Quijote* establece la novela moderna como una reflexión verosímil de la realidad. Cervantes insiste en que su obra se basa en fuentes legítimas y fidedignas. Claro que Cervantes juega con esa noción, porque el lector se da cuenta que sus fuentes, por legítimas que parezcan, están atadas a diferentes puntos de vista. O sea, una crónica o una historia, que puede parecer completamente objetiva, expresa un punto de vista particular.

- En la novela de Unamuno vemos la fuerza y el poder de la escritura. Las memorias que escribe Ángela, quien llama a Miguel su padre espiritual, van a terminar descarrilando la investigación que hace el obispo para la santificación de dicho padre. Y cuando el manuscrito llega a las manos de Unamuno, el autor explícito declara que lo manda a la imprenta. A causa de ello, Manuel nunca podrá ser canonizado.

- El poder de las palabras forma el discurso central de "Dos palabras". El juego metalingüístico implica que las palabras tienen la capacidad no solo de transformar a un individuo, sino a toda una sociedad.

- En "Borges y yo" y "A Julia de Burgos" se presenta la tensión entre el ser y el escritor. En ambas obras se manifiesta que son diferentes entidades, implicando que las palabras que se leen en una obra no son necesariamente las del ser humano que las escribe.

3. ¿Qué momentos recuerdas de las obras que has leído que te parecieron de inmensa creatividad imaginativa o técnica? (Cada estudiante mencionará sus ejemplos favoritos. He aquí algunos de los míos).

- El bello efecto fónico del estribillo del romance: "¡Ay de mi Alhama!"

- El ingenioso subtexto de Juan Manuel para probar que su mujer es virgen (la matanza y sangría de los animales).

- La metonimia respecto a las canas en Garcilaso: "antes que el tiempo airado / cubra de nieve la hermosa cumbre".

- La emocionante gradación de Góngora: "en tierra, en humo, en polvo, en sombra, en nada".

- El magistral retruécano y signo polisémico "desmoronar" de Quevedo: una muralla descomponiéndose y una guerra para echar a los moros de España.

- El final irónico del *Lazarillo* cuando compara su buena fortuna con la del Imperio español. Si Lázaro es un cornudo que vive un engaño, ¿cómo será el Imperio español?

- Hay tanto en el *Quijote* que admiro, por ejemplo el momento en que don Quijote les pide a los mercaderes de Toledo que digan que Dulcinea es la mujer más bella del mundo y los mercaderes piden pruebas. Don Quijote se enfurece, porque lo importante es creer sin ver.

- La lograda aliteración de Sor Juana cuando se pregunta quién es peor, una prostituta o el cliente: "la que peca por la paga / o el que paga por pecar".

- La compleja escenografía que se necesitaría para llevar a cabo la muerte de don Juan en el *Burlador*.

- El estilo poético con que Pardo Bazán describe lo que siente Ildara al recibir el cachete de su padre. Ve un cielo estrellado, y ella acaba de ser estrellada por su padre.

- La perspicacia de Martí en "Nuestra América" de acertar en el siglo XIX los problemas que afectarían a Hispanoamérica en la actualidad.

- La atrevida subversión del signo de la Estatua de la Libertad por Darío en "A Roosevelt". La estatua, que representa algo bello y positivo, es transformada por Darío en un símbolo del imperialismo norteamericano. La antorcha que era para dar la bienvenida a los inmigrantes se convierte en una luz que alumbra el camino de la conquista de Hispanoamérica.

- La paradoja "madrugadas vacías" de Guillén. El esclavo negro no se despierta a un nuevo día con esperanzas de que sea mejor.

- El ingenioso modo en que Dahlmann, en un cortísimo espacio de tiempo psíquico, se inventa una muerte a su gusto, no la que está sufriendo.

- La imaginativa manera en que Cortázar cambia de un tiempo a otro, haciendo a su lector ver que la realidad que él cree no es la auténtica.

- El parco pero conmovedor estilo de Rulfo.

- Las dificultades narratológicas que Fuentes demanda de su lector en Chac Mool.

- La completa objetividad del narrador de "La siesta del martes", que con unas cuantas pinceladas nos revela toda la triste realidad de la pobreza en Hispanoamérica y la indiferencia de la iglesia y de la gente rica.

- El juego metalingüístico en "Dos palabras", incluyendo cuando Belisa descubre que las palabras son gratis y cualquiera las puede aprovechar.

CAPÍTULO VI:
LA IMAGINACIÓN Y
LA CREACIÓN LITERARIA

Cervantes, *Don Quijote*, I (pp. 476-479)

■ □ ■

Comprensión

1. La lectura de novelas de caballería
   - Se le secaron los sesos (se volvió loco).
2. Hacerse caballero andante.
   - Limpió la armadura de sus abuelos, se hizo un yelmo, y se nombró.
3. Don Quijote; Rocinante; Dulcinea.

Interpretación

1. Que no importa el nombre exacto del héroe.
   - No.
   - Es autoconsciente; hay un discurso metaliterario; el autor se basa en fuentes de información —don Quijote no es simplemente fruto de su creatividad.
2. Cuando se lee mucho uno es más informado e inteligente.
3. Le da un golpe fuerte con su espada y la destruye.
   - No la pone a prueba.
   - Hay cosas que uno sabe que no resistirán ante la indagación (por ejemplo, la concepción inmaculada), de modo que se aceptan sin preguntas.
4. No se pueden identificar; se convierten en genérico. Cuando reciben nombre tienen una identidad específica.
5. Los nombres exactos no importan. Pero más profundo es la noción de que es imposible saber lo que es la realidad exacta. La expresión "conjeturas verosímiles" es una paradoja.

Don Quijote, II (pp. 479-484)

■ □ ■

Comprensión

1. Mejorar el mundo (deshacer agravios, mejorar abusos, enmendar ideas erróneas, etc.).

2. No ha sido 'armado caballero' como es necesario según las leyes de caballería.

3. Una venta (tipo de albergue rural).
   - un castellano;
   - damas de la corte;
   - el enano que le da la bienvenida tocando su trompeta.

4. Habla en el estilo florido y elegante de las novelas de caballería.

5. No puede comer por la celada que lleva, y tienen que darle de comer como a un bebé.

Interpretación

1. Es un juego metaliterario más; la ironía es que Cervantes no elige el estilo de las novelas de caballería para escribir su historia.

2. Que se basa en fuentes de información; don Quijote es un verdadero caballero que vivió y del cual ya se ha escrito.

3. Quizá se sienten honradas por ser tratadas cortésmente por primera vez en su vida.

4. No.
   - La confusión entre lo imaginado y lo real también se lleva a cabo en un nivel léxico: un pescado puede tener diferentes nombres y ser el mismo pescado, igual que una venta y un castillo pueden ser la misma cosa.

Don Quijote, III (pp. 484-488)

■ □ ■

Comprensión

1. Que lo arme caballero.
   - Es parte de las leyes de caballería, las cuales don Quijote sigue al pie de la letra.

2. Don Quijote está velando sus armas, como demandan las leyes. Llega un arriero a la fuente del patio con sus mulas para beber agua y don Quijote, enojadísimo, le dio un golpe con su lanza, lo cual provocó la ira de los otros arrieros, quienes empezaron a tirar piedras a don Quijote.

Reflexiones AP® Edition, Instructor Resource Manual and Testing Program © Pearson Education, Inc.

- El ventero le pidió disculpas a don Quijote y apresuró el rito para que don Quijote se fuera lo más pronto posible.

3. Con mucha cortesía. Les pide que lleven el título de "doña" de aquí en adelante —título reservado para personas de importancia.
   - Esta vez no se ríen.

Interpretación

1. *Las respuestas variarán.* Sin embargo, el *Quijote* contiene un velado subtexto crítico respecto a la Iglesia. Por ejemplo, don Quijote nunca va a misa ni da con monasterios o conventos, a pesar de que había muchos en España en esa época.
2. Nunca había leído en sus novelas que los caballeros pagaran su hospedaje.
   - Hay cosas naturales que no se tienen que contar. Por ejemplo, en las novelas no se cuenta que los personajes van al baño, y sin embargo, tienen que ir. Otra vez Cervantes está comentando en su obra sobre asuntos relacionados con la escritura de novelas.

Don Quijote, IV (pp. 488-493)

■ □ ■

Comprensión

1. Haldudo dice que Andrés le ha robado ovejas, y Andrés dice que su amo no le ha pagado. Haldudo le está pegando a Andrés.
   - Toma partido con el muchacho y le pide a Haldudo que le pague lo que le debe.
   - Haldudo le sigue pegando al muchacho.
2. Que juren que Dulcinea es la mujer más bella del mundo.
   - Dicen que tienen que ver un retrato primero.
3. Apaleó al caballero y lo dejó malherido.

Interpretación

1. Es muchacho y es el que está sufriendo. Las leyes de caballería obligan al caballero a defender a los que sufren.
2. Como caballero, don Quijote no puede imaginar que alguien no cumpla su palabra.
   - Desgraciadamente, hay gente que no cumple. Andrés lo sabe, pero don Quijote no.
3. Que el caballo elija.
   - *Las respuestas variarán.* Cualquier acto que cometemos puede afectar nuestra vida, pero nunca podemos saber cómo. Aunque a veces creemos que controlamos nuestras vidas, la mayoría de las veces la vida nos lleva a nosotros, sin que lo sepamos.
4. Dice que si la ven, no habría más remedio que reconocer su belleza. Lo importante es creer sin ver.

- *Las respuestas variarán.* Hay cosas en la vida (dogmas teológicos, por ejemplo) que se tienen que creer. Hay fuerzas que no se pueden ver: lo divino, el amor, etc.

5. Ha ocurrido un cambio radical —desde confianza en sus proezas a la desilusión y no poder "levantarse".

Don Quijote, V (pp. 494-497)

■ □ ■

Comprensión

1. El Romancero.
   - Lo ayuda a regresar a su casa, con mucha cortesía.
2. De la desaparición de don Quijote, y le echan la culpa a los libros de caballería.

Interpretación

1. De consuelo, inspiración.
   - Es bueno y normal.
2. Que uno puede ser lo que quiera. *Las respuestas variarán.*
3. La Inquisición, institución encargada de vigilar la ortodoxia religiosa de los españoles y condenar a los herejes, quemaba libros prohibidos y los que ellos creían ser peligrosos.

Don Quijote, VIII (pp. 497-503)

■ □ ■

Comprensión

1. Arremete contra ellos con su lanza, la cual se traba en la aspa del molino y se lleva a don Quijote.
2. Responde que un sabio maligno, Frestón, convirtió los gigantes en molinos para quitarle la gloria de la victoria.
3. Arremetió contra ellos con su lanza y los derrumbó de sus mulas.
   - Cree que es una princesa que los frailes llevan contra su voluntad.

Interpretación

1. Como toda sustancia está compuesta por una manifestación física y otra conceptual, el 'espíritu' de las cosas puede variar tal como se mira o se necesita. Lo físico puede ser de una cosa, pero el uso lo puede cambiar. Una silla puede ser una escalera cuando alguien se sube en ella para alcanzar un objeto. Así, como don Quijote necesita una aventura, ve unos gigantes.

Reflexiones AP® Edition, Instructor Resource Manual and Testing Program © Pearson Education, Inc.

- Es su primera salida con Sancho y es necesario mostrar su valentía e introducir a su escudero en la vida caballeresca.

2. Parece que se narra en cámara lenta.

3. Termina la fuente de información y el nuevo narrador no sabe lo que ocurrió.

- Cervantes está intentando asociar la prosa ficción con la prosa histórica. La historia se basa en información verídica (fuentes). Al no tenerlas, el autor implícito no tiene más remedio que truncar su narrativa hasta que se encuentre la información necesaria. La novela europea por los próximos tres siglos se basará en esta teoría cervantina: intentar borrar los límites entre la realidad y la ficción.

Don Quijote, IX (pp. 503-506)

■ □ ■

Comprensión

1. Para poder terminar la historia que está escribiendo.

2. En Toledo un chico venía a vender papeles viejos. El autor se pone a leer unos, pero están escritos en árabe y le pide a otro que se los lea. Resulta ser un manuscrito de la historia de don Quijote.

3. Árabe. Lo tradujo un sedero bilingüe (aljamiado).

4. Debe ser objetivo, no apasionado y seguir con cuidado la verídica historia.

5. Le dio con su espada con tal fuerza que empezó a sangrar. Se cayó de la mula.

- Las damas dentro del carruaje le rogaron que no lo matara.

Interpretación

1. Hay mucha distancia entre la fuente y su transmisión. Primero hay unos hechos, los cuales interpreta y escribe el autor arábigo, seguido por una traducción hecha por un traductor de dudosa calificación, y finalmente la versión escrita por el nuevo autor implícito. En cada una de estas modificaciones, los acaecimientos pueden cambiar.

2. *Las respuestas variarán.*

- Hizo que la novela reflejara la realidad y que intentara engañar al lector en creer que lo que lee de veras ocurrió.

Don Quijote, LXXIV (pp. 507-514)

■ □ ■

Comprensión

1. Haber sido caballero andante.

2. A los libros de caballería.

3. Hacerse pastor.

4. El dinero que le debe a Sancho.

5. Para que nadie lo resucitara. Había aparecido una segunda parte apócrifa de la novela por un tal Avellaneda, lo cual angustió mucho a Cervantes, y se apresuró en terminar la auténtica segunda parte.

   • Poner fin a las novelas de caballería.

Interpretación

1. No quiere que abandone la profesión de caballería; le sugiere hacerse pastor.

2. Está muy desconsolado.

   • Que vuelva a las andanzas de caballería.

   • Sancho, pero ¿qué es locura? Sancho aprendió mucho de don Quijote y se transformó.

3. El autor implícito. Habla directamente a sus destinatarios.

4. Una relación muy íntima.

5. Que su único propósito es acabar con las novelas de caballería.

   • *Las respuestas variarán.* Todos están de acuerdo que este propósito es un subterfugio para ocultar un proyecto más serio. *Las respuestas variarán.* Quizá insiste tanto porque el proyecto es algo heterodoxo y no quiere que nadie se de cuenta. En su locura, don Quijote critica muchas prácticas cristianas.

Cultura, conexiones y comparaciones

1. Su tema de ilusión y desilusión; las cosas no son lo que parecen; su compleja estructura recargada con personajes, episodios, temas, etc.

2.

3. Lee.

   • Leemos. Nosotros hacemos lo que hizo don Quijote. ¿Nos volveremos locos?

   • Primer autor de la novela.

   • Al contarlo de otro modo, se puede interpretar de otro modo también.

   • Es un ente ficticio, pero hemos llegado a creer que existe, como nosotros.

4. *Las respuestas variarán.*

5. *Las respuestas variarán.*

6. • La hace realista. El lector cree que lo que lee ocurrió en realidad.

   • Sí. Los críticos han dicho que se ve la 'sanchificación' de don Quijote y la 'quijotización' de Sancho. O sea, uno se va volviendo más realista y el otro más idealista. Sí, es unificador. El desarrollo de un personaje es un elemento estructurante de una novela. *Las respuestas variarán.*

   • *Las respuestas variarán.*

7. • El cura del lugar, del cual Cervantes se burla. Era la Contrarreforma. España se veía como la defensora del catolicismo en Europa. A mediados del siglo XVII había unos 200 000 cleros en España, y la Iglesia poseía un 20 porciento del territorio.

Reflexiones AP® Edition, Instructor Resource Manual and Testing Program © Pearson Education, Inc.

- Como había división de oficios, cada grupo étnico practicaba un oficio distinto. Los arrieros, quienes transportaban mercancías a mula, eran moriscos. Los mercaderes eran judíos conversos.
- Iba a Sevilla y de ahí al Nuevo Mundo. Era de clase alta. Iba a encontrarse con su esposo, que había recibido un cargo honroso. Era un modo para los hidalgos y los campesinos de enriquecerse y así restaurar su honra.

8. *Las respuestas variarán.*

9. *Las respuestas variarán.*

10. Cervantes es filosófico en el sentido de que plantea el problema epistemológico como propósito principal y lo explora por múltiples perspectivas. En Borges se confunden realidad y fantasía en lo psíquico. En Cortázar es un juego ingenioso del tiempo.

11. *Las respuestas variarán.*

12. *Las respuestas variarán.*

13. *Las respuestas variarán.*

Borges, "Borges y yo" (p. 525-527)

■ □ ■

Comprensión

1. Borges y Borges. Es el Borges que no escribe.
   - Es el autor.
2. Por leer de él.
3. Los convierte en tretas.
4. Borges autor. Porque la literatura y la fama seguirá viviendo después de la muerte.

Interpretación

1. El narrador escribe igual que el Borges de quien escribe. También hay un autocrítica cuando se queja de la "perversa costumbre de falsear y magnificar" de Borges el autor.

2. Puede haber dos máscaras diferentes, pero en el fondo hay una sola persona. Irónicamente, aquí el autor domina al hombre —lo embruja de tal modo que no puede escaparse.

3. Es un discurso religioso: salvación y perdición. El que escribe, por su fama, se salva; el otro, el "yo", muere del todo. Es una interpretación existencialista de la vida.

Cultura, conexiones y comparaciones

1. Juegos con el tiempo y el espacio, la dualidad del ser; el discurso metaliterario de "continuidad de los parques", la indagación en las raíces de Hispanoamérica en "Noche boca arriba", etc.

Reflexiones AP® Edition, Instructor Resource Manual and Testing Program © Pearson Education, Inc.

2. Ocurre la misma bifurcación entre el ser y el escritor, indicando la superioridad del escritor. Pero Borges convierte la lucha en una cuestión metafísica y Julia no. En Borges el autor y el hombre se confunden hasta tal punto que el lector no sabe quién es quién. En Burgos, la distinción es explícita.

3. Unamuno: Manuel tiene la cara del cura creyente y la del hombre escéptico; Rulfo: padre abnegado y padre despiadado.

4. *Las respuestas variarán.*

5. *Las respuestas variarán.*

6. Actividad

Fuentes, "Chac Mool" (pp. 527-535)

■ □ ■

Comprensión

1. Para retirar el cadáver de su amigo.
   - El diario de Filiberto.

2. Una estatua de Chac Mool.
   - En el sótano.
   - Empezó a crecer musgo.

3. Poco a poco va adquiriendo características humanas.
   - Inunda la casa de agua, lo echa de su cuarto, básicamente lo domina y lo tiene como criado.

4. No puede pensar en ninguna otra cosa y no cumple con sus obligaciones y es despedido.

5. Para escaparse de Chac Mool.

5. Que Chac Mool ahora es el dueño de la casa y manda poner el féretro en el sótano.

Interpretación

1. El amigo y Filiberto.

2.
   - No se sabe.
   - No se sabe.
   - No se sabe.
   - Filiberto escribe en un diario, de modo que su receptor es él mismo. O sea, no tiene que explicar ciertas cosas porque no se dirige a nosotros los lectores y él ya las sabe. El código o el contexto no hay que explicarlo o compartirlo con el lector.

3. Para celebrar su jubilación.
   - La de igualdad social —los ideales de la Revolución Mexicana.
   - Que algunos tuvieron éxito y otros no.

Reflexiones AP® Edition, Instructor Resource Manual and Testing Program © Pearson Education, Inc.

- Entre los que tenían todo. La burguesía de sangre europea.
- Ver *En contexto*.

4. Es muy aficionado a colectar piezas prehispánicas.
    - Ver *En contexto*.

5. Lo pintaron de rojo.
    - La rusa. El comunismo.
    - El rojo.
    - *Las respuestas variarán.* Posiblemente. Busca la igualdad social, y de allí es fácil el paso a la igualdad económica.

6. Que no puede distinguir fácilmente entre uno y el otro. ¿Es Chac Mool verdadero o fantástico?
    - ¿ No, son muy confusas. Son una jerigonza desordenada.
    - A lo mejor.

7. Se huye.
    - *Las respuestas variarán.* Allí se siente cómodo.
    - *Las respuestas variarán.* Rechaza lo mexicano indígena y vuelve a su mundo europeo.

8. Todo pintado, tratando de imitar a un mexicano blanco.
    - Chac Mool parece ridículo; no lleva a cabo su imitación
    - *Las respuestas variarán.* Cuando el indígena llega a un estado de poder, solo imita la cultura de los europeos.

9. Sí.
    - Que Chac Mool existe. Filiberto no estaba loco.
    - Que no hay una realidad fija. Lo que parece fantástico a uno puede ser verdad o normal para otro. El lector ha creído que Chac Mool era una fantasía de Filiberto, pero ahora descubre que no. Es un juego ontológico y existencial.

Cultura, conexiones y comparaciones

1. Una narración con dos narradores, uno que no entiende (el amigo) y otro que no explica (Filiberto).
2. En los tres se enfrenta el mundo indígena con el mundo europeo-hispanoamericano, y curiosamente, en los tres lo indígena y lo autóctono salen dominando. Las técnicas varían.
3. Los sacrificios que demandaban los aztecas eran mucho peor que los de los cristianos. Así, en parte, se explica la rápida conversión de los indígenas mexicanos al catolicismo.
4. *Las respuestas variarán.*
5. *Las respuestas variarán.*
6. *Las respuestas variarán.*
7. *Don Quijote. Las respuestas variarán.*
8. *Las respuestas variarán.*

García Márquez, "El ahogado más hermoso del mundo"
(pp. 536-541)

■ □ ■

Comprensión

1. Un cadáver.
   - Lo llevan cargado al pueblo.
   - Lo limpian.
2. Es muy grande y muy hermoso. Es omnipotente, capaz de hacer milagros, de dar placer a todos, etc.
3. Le cosen ropa nueva porque no cabe en la ropa de los hombres del pueblo, lo peinan, le cortan las uñas; luego le ponen todo tipo de amuleto para protegerlo en su viaje, etc.
4. Están celosos de la atención que le dan las mujeres.
   - Las mujeres ahora critican a sus esposos por no llegar a la altura de Esteban.
5. Vinieron gente de los pueblos circundantes y todos trajeron flores. Fueron los funerales más extravagantes que se hicieron en ese pueblo.
   - Para que volviera si quería.

Interpretación

1. Omnisciente, objetivo. Solo describe; no interpreta. Es capaz de saber todo lo que está pensando la gente del pueblo.
   - No.
   - Incluye las citas directamente como parte de su narración, sin separarlos con puntuación.
2. Es un pueblo árido, pobre, escuálido.
   - Monótono, aburrido.
   - Forma un contraste destacado con todo lo que representa Esteban: belleza, virilidad, grandeza, nuevas posibilidades, etc.
3. Barco enemigo, ballena.
   - Después de quitarle las algas, ven que es un hombre, pero muy diferente de los hombres del pueblo. Va cobrando más y más importancia y creando cada vez más carácter mítico y de grandeza en su imaginación.
   - Lo personalizan; lo hacen parte de sus vidas.
   - *Las respuestas variarán.* Los casos inesperados y milagrosos que pasan en la vida tienen la capacidad de transformarla.
4. No. Es universal; puede referirse a cualquiera.
5. *Las respuestas variarán.* La inmensidad del cadáver y todas las molestias que presenta. La hipérbole es la base del relato. Todo se exagera, y la exageración va creciendo, paso a paso, hasta terminar en su conversión en el salvador del pueblo. O sea, un hombre ahogado termina siendo un ser mítico que transforma todo un pueblo. También provoca mucho humor.

Reflexiones AP® Edition, Instructor Resource Manual and Testing Program © Pearson Education, Inc.

6. Indeterminado. Puede representar muchas cosas, pero nada concreto.

   - Da al pueblo tedioso algo diferente e interesante. El pueblo nunca será igual después del contacto con Esteban. Aunque el signo no es concreto, el efecto que produce es muy positivo.
   - *Las respuestas variarán.*
   - *Las respuestas variarán.*

Cultura, conexiones y comparaciones

1. Pasan cosas muy improbables pero no imposibles o fantásticos. Lo improbable e hiperbólico se representa como un caso normal.

   - En primer lugar está la portentosa imaginación del autor. Pero los del pueblo también usan su imaginación para glorificar a Esteban, transformándole en lo que ellos necesitan y quieren.

2. En Borges y Cortázar, lo fantástico está ligado al tiempo y el espacio. Somos transportados a otros mundos temporales. En Fuentes sí hay un hecho fantástico: la humanización de una estatua. En Allende y García Márquez ocurren cosas poco probables, pero no imposibles. Contienen mucho hipérbole. En estos autores, el significado de su mensaje es más difícil de discernir. Son obras con un mensaje más abierto.

3. *Las respuestas variarán.* Tiene que ver más con la imaginación y la introversión. Gente estancada que descubren por primera vez algo nuevo y diferente y lo bueno que se sienten al experimentarlo. Por lo tanto, lo volverán a hacer.

4. *Las respuestas variarán.*

   - Parece ser una tragedia (el ahogado) pero trae algo positivo.

5. *Las respuestas variarán.*

Ulibarrí, "El caballo mago" (pp. 544-548)

■ □ ■

Comprensión

1. Lo admiran; cuentan muchas historias de él; todos han intentado capturarlo, pero ninguno lo ha logrado.

2. Por los muchos cuentos que ha oído a lo largo de los años.

3. Lo atrapa.

4. Mucho orgullo; ahora es un hombre.

5. Logra escaparse.

6. Se da cuenta que una fuerza como esa no se puede acorralar.

Interpretación

1. El chico. Narra en primera persona.

   - Son recuerdos, pero narra en el presente.

- Con el tiempo se suavizan, se exageran, se idealizan, etc. El recuerdo es demasiado poético; se basa en reminiscencias idealizadas por el tiempo.

2. Es un estilo poético. Las oraciones son cortas y a veces fragmentadas. Hay mucha adjetivación. La naturaleza se humaniza y personifica. Hay muchos recursos poéticos: metáforas y símiles como en el primer párrafo; epíteto (al llamar al caballo "el brujo"); personificación ("el bosque se calla"); graduación ("al atraparlo se volvía espuma y aire y nada"); paradoja ("lloraba de alegría); ,etc.

   - No. Todo se idealiza y poetiza. No hay problemas económicos, sociales o morales como suele haber en los discursos realistas.

3.

   - símil;
   - gradación y polisíndeton;
   - prosopopeya, personificación;
   - paradoja, oxímoron;
   - paradoja, ironía.

4. La belleza, lo inefable, lo imposible, la virilidad, etc.

   - Es un emblema en la literatura. Es el macho semental de una majada de yeguas. Todos los hombres lo admiran.
   - Tiene quince años y está experimentando la pubertad; quiere ser como el caballo semental para, como dice, "lucirlo . . . cuando las muchachas salen a paseo por la calle".
   - *Las respuestas variarán.*

5. Es el cuento del muchacho que se convierte en hombre. Al lograr capturar el caballo, prueba su capacidad de ser macho.

6. *Las respuestas variarán.* Es la historia del héroe que tiene que cumplir un requisito; en este caso capturar el caballo mago. Lo logra, pero lo pierde.

Cultura, conexiones y comparaciones

1. *Las respuestas variarán.*

2. *Las respuestas variarán.* Contiene un trasfondo mítico con muchas posibilidades de interpretación, como los relatos de Rulfo o García Márquez; tiene mucha posibilidad simbólica; es poético; hay juegos narratológicos con el narrador; etc.

Reflexiones AP® Edition, Instructor Resource Manual and Testing Program © Pearson Education, Inc.

Alternative Reading Orders

ORGANIZACIÓN POR TEMAS Y CONCEPTOS ORGANIZADORES

TEMA	AUTORES
LAS SOCIEDADES EN CONTACTO	
La asimilación y la marginalización	Romance, *Lazarillo*, Lorca (Romance), Guillén, Rivera, Fuentes
La diversidad	Romance, *Lazarillo*, Guillén, Borges (Sur), *DQ*, Cortázar, Rivera, Fuentes, Morejón
Las divisiones socioeconómicas	*Lazarillo*, *Burlador*, Pardo Bazán, Lorca (*Bernarda*), Rivera, Dragún, García Márquez (Siesta), Machado
El imperialismo	Cortés, Quevedo, Darío, Martí
El nacionalismo y el regionalismo	Poema azteca, Pardo Bazán, Darío, Martí, Quiroga, Lorca (Romance)

LA CONSTRUCCIÓN DEL GÉNERO	
El machismo	Juan Manuel, *Burlador*, Sor Juana, Pardo Bazán, Burgos, Storni, Allende
Las relaciones sociales (y cómo contribuyen a la construcción del género)	Juan Manuel, *Lazarillo*, *Burlador*, Sor Juana, Pardo Bazán, Bécquer, Burgos, Storni, *Bernarda Alba*, Rulfo, Rivera, Allende
El sistema patriarcal	*Burlador*, Sor Juana, Pardo Bazán, Storni
La sexualidad	Juan Manuel, Garcilaso, *Burlador*, Góngora, Burgos, Lorca (*Bernarda*)
La tradición y la ruptura	*Burlador* vs. Allende [ruptura]; *Burlador*, Sor Juana y Lorca (*Bernarda*) [continuación de la tradición]

EL TIEMPO Y EL ESPACIO	
El *carpe diem* y el *memento mori*	Garcilaso y Góngora [cd]; Góngora y Quevedo [mm]
El individuo en su entorno	Quevedo, Pardo Bazán, Quiroga, Machado, Lorca (ambas obras), Neruda, Rivera, García Márquez (Siesta)
La naturaleza y el ambiente	Cortés, Quevedo, Heredia, Pardo Bazán, Quiroga, Guillén, García Márquez (ambas obras)
La relación entre el tiempo y el espacio	Heredia, Bécquer, Quiroga, Guillén, Borges, Cortázar, Montero
El tiempo lineal y el tiempo circular	Bécquer, Borges (Sur), Cortázar, Dragún, Fuentes
La trayectoria y la transformación	Garcilaso vs. Bécquer; *Lazarillo* vs. Borges (Sur)

LAS RELACIONES SOCIALES E INTERPERSONALES	
La amistad y la hostilidad	Romance, Cortés, *Lazarillo*, *Burlador*, Martí, Burgos, Lorca (*Bernarda*), Guillén, Rulfo
El amor y el desprecio	
La comunicación y la falta de comunicación	Cortés, Pardo Bazán, Lorca (*Bernarda*), Guillén, Machado, Neruda, Burgos, Rivera, Rulfo, García Márquez (Siesta), Allende
El individuo y la comunidad	Unamuno, Dragún, García Márquez (Ahogado)
Las relaciones del poder	*Lazarillo*, *Burlador*, Guillén, Lorca (*Bernarda*, Romance), Fuentes, García Márquez (Siesta), Morejón
Las relaciones familiares	*Burlador*, Pardo Bazán, Quiroga, Lorca (*Bernarda*), Guillén, Dragún, Rivera, Rulfo, Ulibarrí, García Márquez (Siesta)

LA DUALIDAD DEL SER	
La construcción de la realidad	*DQ*, Unamuno, García Márquez (Ahogado), Borges (Sur), Cortázar, Ulibarrí, Fuentes
La espiritualidad y la religión	*Burlador*, Unamuno, Lorca (*Bernarda*), Rivera, García Márquez (Siesta)
La imagen pública y la imagen privada	Unamuno, Lorca (*Bernarda*), Burgos, Borges (Yo), Allende
La introspección	Quevedo, Storni, Neruda, Borges (Yo), Ulibarrí, Fuentes
El ser y la creación literaria	*Lazarillo*, *DQ*, Unamuno, Borges (Yo)

LA CREACIÓN LITERARIA	
La intertextualidad	*DQ*, Darío, Borges (Sur), García Márquez (Ahogado)
La literatura autoconsciente	Juan Manuel, *Lazarillo*, *DQ*, Unamuno, Borges (Yo), Burgos, Fuentes
El proceso creativo	*DQ*, Borges (Yo), Burgos, Fuentes, Allende
El texto y sus contextos	Aquí cabe prácticamente todas las obras que se quiera.

ORGANIZACIÓN POR OBRAS FUNDAMENTALES:

Si se va a organizar la clase de AP Literatura y Cultura por medio de género o de historia literaria cronológica, sería buena idea empezar por leer *Lazarillo* o *Don Quijote*, puesto que estas obras, por su extensión y su complejidad artística, contienen ejemplos de todos los temas y discursos. De este modo, al leer cualquier obra, el estudiante tendrá un punto de comparación.

Lazarillo de Tormes

- **Sociedades en contacto:** Lazarillo narra su historia a "vuestra merced", una persona de rango social muy superior al suyo. La novela claramente revela la diversidad de la España imperial: Lazarillo es hijo de moro y cristiana; la madre se amanceba con un negro y su hermanastro es mulato, etc. La novela es una mina de discursos sobre la raza.

Reflexiones AP® Edition, Instructor Resource Manual and Testing Program © Pearson Education, Inc.

- **Construcción del género:** La madre de Lazarillo es una víctima —una viuda sola, sin amparo— y cuando consigue protección de un hombre (Zaide), las autoridades anulan la relación y castigan a la pobre mujer. Las mujeres, para sobrevivir, tienen que prostituirse (como la madre) o ser amantes para recibir algún beneficio (como la esposa de Lazarillo). Por otra parte, las mujeres no tienen voz y no cuentan para nada.

- **Tiempo y espacio:** *Lazarillo* es quizá la primera novela europea que presta atención al fluir del tiempo, lo cual se ve claramente en el tercer tratado cuando el tiempo fluye lentamente, contribuyendo artísticamente a la desesperación del niño aguardando a que le den de comer. Además, se ve el desarrollo del personaje de niño en hombre y como sus experiencias en la vida contribuyen a que sea una persona desprendida a quien no le importa nada sino su propio bienestar. La novela también ancla su acción en un momento crucial de la historia española: la primera mitad del siglo XVI. La novela termina en 1538, cuando el emperador Carlos V llegó a Toledo para celebrar cortes. En ese año, España estaba a la cumbre de su grandeza. La novela, sin embargo, presta poca atención al mundo circundante.

- **Relaciones interpersonales:** Lazarillo forma una relación diferente con cada amo, y su relación con el escudero es el que más resalta. Con él, Lazarillo establece cierta camaradería, mantiene conversaciones y siente cariño y lástima por el desventurado hidalgo, quien es víctima de los ridículos códigos de honor de la España del Siglo de Oro. Su relación con el arcipreste, vuestra merced y su esposa reflejan su desilusión con los valores morales de su época.

- **Dualidad del ser:** Lazarillo es el narrador de su novela, así como el personaje principal de ella. Visto de este modo, Lazarillo se desdobla en dos seres: uno real y otro ficticio. Pero como en "Borges y yo" el personaje y el autor se fusionan y no se puede distinguir el uno del otro. Otros personajes se ponen máscaras: el escudero aparenta ser de cierta categoría social, aunque vive en la pobreza, y los sacerdotes, que supuestamente deben ser ejemplos de moralidad, infringen las leyes morales. El mejor ejemplo de la dualidad se ve en el tratado del bulero, que no se lee en el programa de AP.

- **Creación literaria:** Lázaro cuenta la historia de su vida a un tal "vuestra merced". Nosotros, los lectores, no somos los destinatarios del mensaje; solo escuchamos a hurtadillas. La narratología llama "narratario" al personaje a quien se dirige el narrador —un concepto crítico muy moderno. Como toda narración en primera persona, el lector se da cuenta de que es un relato sumamente subjetivo, puesto que el narrador nos pinta la realidad desde su perspectiva y no hay la posibilidad de ver otro punto de vista. También, de esta manera, nos puede contar lo que él quiera. Esto se observa muy patentemente al final del cuarto tratado, cuando Lazarillo escribe: "por otras cosillas que no digo". ¿Qué puede haber pasado con el fraile que Lazarillo no puede contar a su destinatario?

Don Quijote

- **Sociedades en contacto:** En *DQ* se observan varias estradas sociales: labradores, prostitutas, arrieros (moriscos), mercaderes de seda (conversos), nobles (la dama camino al Nuevo Mundo), etc.

- **Construcción del género:** Don Quijote protege a las mujeres y las trata con respeto, algo que los hombres de su época a lo mejor no hacían. Esto se ve en su trato con las prostitutas de la venta.

- **Tiempo y espacio:** Don Quijote revive otros tiempos y espacios que no son los suyos. Intenta recrear un momento idílico, aunque ficticio, en que la bondad reinaba.

Reflexiones AP® Edition, Instructor Resource Manual and Testing Program © Pearson Education, Inc.

También, don Quijote viaja por un espacio real: Castilla, con sus ventas, molinos de viento y ciudades.

- **Relaciones interpersonales:** Aquí se destaca la íntima relación que se establece entre don Quijote y Sancho. También, hay momentos conmovedores de humanidad: el respeto que le da don Quijote a las prostitutas, la defensa a Andrés y el vecino (Pedro Alonso) que ayuda a don Quijote y lo lleva a su casa.

- **Dualidad del ser**: Claramente, don Quijote se inventa otro "ser" y vive entre ser Alonso Quijano y don Quijote. En la escena con Pedro Alonso, don Quijote dice "Sé quien soy. Y puedo ser el que quiera". O sea, sabe que hace un papel que él mismo ha elegido.

- **Creación literaria:** Aquí la novela ofrece una mina. En primer lugar, tenemos el intertexto de las novelas de caballería. Luego vemos a Alonso Quijano crearse en el personaje de don Quijote (nombrándose, eligiendo una dama, etc.) así como el autor crea un personaje ficticio. Según el autor implícito, basa su novela en documentos de los archivos de la Mancha. Cuando ya no hay más información, se descubre el manuscrito en árabe de Cide Hamete Benengeli, que el autor implícito hace traducir al castellano y de ahí basa su novela. Todo esto nos hace reflexionar sobre la creación literaria y a la misma vez pone en tela de juicio la veracidad de los textos históricos: ¿Se puede confiar en una traducción no profesional del árabe al castellano hecha por un moro?

ORGANIZACIÓN POR GÉNERO LITERARIO:

Poesía

Romance medieval	"Romance del rey moro que perdió Alhama"
Soneto renacentista	Garcilaso
Soneto barroco	Góngora
	Quevedo
Redondillas barrocas	Sor Juana Inés de la Cruz
Romanticismo	Heredia
	Bécquer
Modernismo y Posmodernismo	Darío
	Storni
	Burgos
	Machado
Las vanguardias	Lorca
	Guillén
	Neruda
Poesía contemporánea	Morejón

Teatro

Comedia del Siglo de Oro	Tirso de Molina, *El burlador de Sevilla*
Drama moderno	Lorca, *La casa de Bernarda Alba*
Teatro del absurdo	Dragún, *El hombre que se convirtió en perro*

Prosa ficción

Apólogo medieval	Juan Manuel
Picaresca	*Lazarillo de Tormes*

Reflexiones AP® Edition, Instructor Resource Manual and Testing Program © Pearson Education, Inc.

Novela del Siglo de Oro	Cervantes, *DQ*
Realismo y Naturalismo	Pardo Bazán
	Quiroga
Novela de la Generación del 98	Unamuno, *San Manuel*
El Boom	Borges
	Cortázar
	Rulfo
	Fuentes
	García Márquez
	Allende
Prosa estadounidense en español	Ulibarrí
	Rivera

Prosa no-ficción (ensayo)

Documentos de la conquista	Cortés
	Sahagún
Ensayo modernista	Martí
Ensayo contemporáneo	Montero

ORGANIZACIÓN POR ÉPOCA HISTÓRICA O CULTURAL

Medieval

Prosa (Apólogo)	Juan Manuel, "De lo que aconteció a un mozo que casó con una mujer muy brava"
Poesía (Romancero)	"Romance del rey moro que perdió Alhama"

Siglos XVI y XVII

Documentos de la conquista	Hernán Cortés, "Segunda carta de relación"
La voz del vencido	Anónimo, "Se ha perdido el pueblo mexicatl"
	Bernardino de Sahagún, "Los presagios"

Siglo de Oro

Poesía (Renacimiento)	Garcilaso
Poesía (Barroco España)	Góngora, Quevedo
Poesía (Barroco HA)	Sor Juana, "Hombres necios que acusáis"
Comedia	Tirso de Molina, *El burlador de Sevilla*
Prosa (Picaresca)	Anónimo, *Lazarillo de Tormes*
Prosa	Cervantes, *Don Quijote*

Época Moderna (siglos XVIII-XX)

Romanticismo (Hispanoamérica)	Heredia, "En una tempestad"
Romanticismo (España)	Bécquer, "Volverán las oscuras golondrinas"
Realismo y Naturalismo (ESP)	Pardo Bazán "Las medias rojas"
Realismo y Naturalismo (HA)	Quiroga, "El hijo"
Modernismo (HA)	Darío, "A Roosevelt"
	Martí, "Nuestra América"

Reflexiones AP® Edition, Instructor Resource Manual and Testing Program © Pearson Education, Inc.

Posmodernismo (HA)	Storni, "Peso ancestral"
	Burgos, "A Julia de Burgos"
Generación del 98 (ESP)	Unamuno, *San Manuel bueno, mártir*
	Machado, "He andado muchos caminos"
Las vanguardias (ESP)	Lorca, "Prendimiento de Antoñito el Camborio"
	Lorca, *La casa de Bernarda Alba*
Las vanguardias (HA)	Neruda, "Walking around"
	Guillén, "Balada de los dos abuelos"
	Dragún, *El hombre que se convirtió en perro*
Boom (HA)	Borges, "El sur" y "Borges y yo"
	Cortázar, "La noche boca arriba"
	Rulfo, "¿No oyes ladrar los perros?"
	Fuentes, "Chac Mool"
	García Márquez, "La siesta del martes" y "El ahogado más hermoso del mundo"
	Allende, "Dos palabras"
Poesía contemporánea (HA)	Morejón, "Mujer negra"
Prosa contemporánea (ESP)	Montero, "Como la vida misma"
Prosa contemporánea (USA)	Ulibarrí, "El caballo mago"
	Rivera, "... y no se lo tragó la tierra" y "La noche buena"

Teaching Art

Suggestions for Integrating the Study of Art with *Reflexiones*

The intention for including works of art (pictures, statues, architecture, photographs, etc.) in the new AP® Spanish Literature and Culture exam reflects the new trend in cultural studies that has taken hold in Hispanic studies as well as in many humanistic disciplines. The College Board's intention is not to train students to be art historians as well as literary critics; they merely want students exposed to art and to see the connections between literature and other cultural manifestations.

The best way to prepare students for this part of the exam is to train them to view art carefully and critically. And this can only be done by projecting works and having the students express what they see in and feel from the picture and what it might mean. For this task I have chosen three Spanish masterpieces with which most people are familiar: Velázquez' *Las meninas*, Goya's *Los fusilamientos del 3 de mayo* and Picasso's *Guernica*. All three can be considered "official" works, as both Velázquez and Goya were court painters and Picasso's mural was commissioned by Second Spanish Republic. The works are separated in time by a little over a century. Consequently, they reflect three distinct cultural periods: the Baroque, Romanticism and the Vanguard (Cubism in particular). By projecting these work and talking about them at length, students will see graphically the development of Western culture, from the Renaissance to the modern period.

Note: Each work of art is referenced with a URL. If the link is broken, you can easily find these works of art using a search engine.

Las meninas

Antes de proyectar *Las meninas*, se debe situar el cuadro en su contexto histórico:

- Velázquez fue pintor de cámara del rey Felipe IV (Hapsburgo, nieto de Felipe II), quien fue muy aficionado a las artes. En su corte también colaboró el dramaturgo Calderón de la Barca y el gran poeta Quevedo.
- Velázquez pintó durante el siglo VII, o sea durante el Barroco. Fue contemporáneo de Rubens (a quién conoció personalmente) y de Rembrandt.
- Aunque no lo parezca, *Las meninas* es un cuadro de la familia real, quienes se ven reflejados en el espejo al fondo del gran cuarto. Por lo tanto, Velázquez pintó lo que los reyes veían mientras eran retratados.
- La niña en el centro del cuadro es la hija de los reyes, la princesa Margarita. Atendiéndola hay dos "meninas", cuya responsabilidad era precisamente atender a las necesidades de la princesa.
- Las cortes europeas del siglo XVII hospedaban a enanos y a otra gente deformada. El propósito de ello no está claro, pero no era para burlarse de ellos. Quizá era para que los de la corte se dieran cuenta de lo dichosos que eran de no sufrir las mismas deformidades.

http://tiny.cc/1bcxew
En más detalle: http://tiny.cc/hocxew
Versión en 3D: http://www.youtube.com/watch?v=0doON3c9Ohk (http://tiny.cc/xscxew)

Ahora hazles a los estudiantes las siguientes preguntas de observación:

1. ¿Quién es el pintor a la izquierda?
2. ¿Qué tiene en la mano?
3. ¿A quiénes miran el pintor, la princesa y la enana?
4. ¿Cómo lo sabemos?
5. ¿Qué hace el enanito a la derecha extrema?
6. ¿Quiénes están de pie detrás de los enanos? ¿Por qué los incluiría Velázquez?
7. ¿Por qué pintaría Velázquez al cortesano que mira desde la puerta del fondo?
8. ¿De dónde proviene la fuente de luz?
9. Describe los otros detalles del taller del pintor. ¿Qué ambiente crea?

Ahora hazles a los estudiantes las siguientes preguntas de interpretación:

1. Comenta sobre el contraste entre la belleza de la princesa y lo grotesco de la enana.
2. ¿Qué razones se podrían aportar para explicar los elementos de "misterio" y de "espiaje" que representan la monja, el cura y el cortesano al fondo?
3. *Las meninas* es un cuadro autoreferencial. ¿Por qué?
4. Es también el más famoso ejemplo de la metapintura de todo el arte europeo. Además de lo obvio (Velázquez pintor se retrata pintando), ¿qué otros elementos meta-artísticos se hallan en el cuadro?
5. ¿Parece un cuadro realista? Ahora proyecta un detalle cercano de la obra. (http://tiny.cc/8if4ew) ¿Cómo parece cuando lo vemos muy de cerca? ¿Se podría decir que la impresión (lo que vemos) y la realidad (cómo se pintó) forman una oposición?
6. ¿Qué podría ser el propósito de pintar lo que ven los reyes en vez de los reyes mismos?

Preguntas de cultura:

1. ¿De qué modo es este un cuadro barroco?
2. ¿Cómo refleja la España del siglo VII?

Los fusilamientos del 3 de mayo

Antes de proyectar *Los fusilamientos del 3 de mayo*, se debe situar el cuadro en su contexto:

- En 1808, Napoleón invadió España como parte de su sueño de expandir las ideas de la Revolución Francesa por toda Europa. El rey de España huyó a Francia y el ejército español se quedó desorganizado sin un comandante. Como consecuencia, el mismo pueblo tuvo que alzarse para luchar contra los franceses. Como el pueblo no sabía de guerra formal, montaron otro tipo de guerra terrorista que se llamó "guerrilla". De ahí proviene el término del inglés, "guerrilla warfare". Goya vivió durante este período y retrató los desastres de la guerra.
- Goya es el primer y el más importante pintor romántico de Europa. El Romanticismo es el movimiento cultural que abre las puertas a la época moderna. Destruye todos los principios del clasicismo (racionalismo, serenidad, harmonía, perfección, etc.) y lo reemplaza con sentimientos subjetivos, turbulencia, desorden, confusión, etc. Todas estas características se ven en el cuadro. Antes de Goya, la guerra se veía como algo heroico y se glorificaba en el arte. Pero Goya no la glorifica; la pinta realísticamente, enfocando sus desastres.

Reflexiones AP® Edition, Instructor Resource Manual and Testing Program © Pearson Education, Inc.

Preguntas de observación:

1. ¿Quiénes son los hombres cuyas espaldas dan hacia nosotros?

2. ¿Quiénes son los fusilados?

3. ¿En qué parte del día ocurren los fusilamientos? ¿Cómo se sabe?

4. Describe el trasfondo del cuadro.

5. ¿Qué hace que resalte al campesino del centro?

6. Observa las tres etapas de los fusilamientos: a los muertos, a los que están a punto de ser matados y a los que van a matar. ¿Qué expresión capta Goya en cada uno?

7. Menciona todas las emociones que Goya capta en las caras de los rebeldes.

8. Comenta sobre el colorido del cuadro.

Preguntas de interpretación:

1. ¿Por qué no vemos las caras de los franceses y sí las de los españoles?

2. ¿Por qué se orienta todo el cuadro hacia el campesino del medio con pantalones amarillos?

3. ¿Qué figura religiosa normalmente se retrata con los brazos extendidos, pero sobre una cruz? ¿Crees que este campesino es una figuración de esa persona? ¿Por qué?

4. ¿Qué expresa este cuadro? ¿Cuál es su propósito?

Preguntas de cultura:

1. ¿Emplea Goya un estilo realista? ¿Qué estilo emplea? Explica.

2. ¿Cómo podemos decir que este estilo rompe con el arte anterior y anuncia un arte moderno?

Guernica

Antes de proyectar *Guernica*, se debe situar el cuadro en su contexto:

- En 1931, España se convirtió en una democracia constitucional (la Segunda República) que concedió a los españoles todas las libertades de expresión, entre ellas la libertad de culto. También se llevó a cabo una reforma agraria, y tierras muertas pasaron a los campesinos. Fue una época de mucha esperanza. Pero los tradicionalistas, apoyados por el ejercito y la iglesia, se opusieron. Y en 1936 ocurrió un golpe de estado, el cual provocó una guerra civil.

- La Guerra Civil Española (1936-1939) se ha llamado un ensayo para la Segunda Guerra Mundial, puesto que en ella se enfrentaron las mismas ideologías opuestas: la democracia y el fascismo. Fue una contienda feroz, con muchas víctimas. Los nacionalistas (partidarios de Francisco Franco) obtuvieron el apoyo de las fuerzas armadas de Alemania e Italia, mientras que los republicanos (los partidarios de la Segunda República) no recibieron ninguna ayuda militar.

- El 26 de abril de 1937, las fuerzas aéreas de Alemania e Italia bombardearon el pueblo de Guernica, un pueblo del País Vasco, que apoyaba la República. Fue un ataque despiadado y no contra una instalación militar. Más de 1500 civiles murieron.

- La República Española le había pedido a Pablo Picasso que pintara un mural para el pabellón español en la Exposición Internacional de París de 1937. Cuando Picasso

Reflexiones AP® Edition, Instructor Resource Manual and Testing Program © Pearson Education, Inc.

se enteró del bombardeo de Guernica, cambió sus planes para el mural e hizo la tragedia el tema central de su mural.

http://tiny.cc/wpbxew (cuidado con la reproducción que uses, puesto que en muchas no se incluye el panel de la izquierda con la madre con el hijo muerto en brazos)

Versión en 3D: http://www.youtube.com/watch?v=jc1Nfx4c5LQ (http://tiny.cc/o3bxew)

Preguntas de observación:

1. ¿En cuantos rectángulos está dividido el cuadro?
2. Describe en detalle la figura central de cada sección.
3. ¿Qué tienen en común las dos figuras de cada lado extremo del cuadro?
4. ¿Qué signo se ve en el medio del cuadro?
5. Describe al soldado (o la estatua de soldado) que se encuentra en la parte inferior del mural.
6. ¿En qué contienda típica española se enfrentan un toro con un caballo?
7. ¿Qué otros signos aislados se observan en el mural? ¿Qué podrían significar?
8. Traza el triángulo de luz que se observa en el medio del cuadro.

Preguntas de interpretación:

1. ¿Qué podría representar la linterna y el sol con bombilla que se observa en el medio del mural?
2. ¿Por qué está quebrada la espada del soldado?
3. Si el toro y el caballo representan las fuerzas opuestas de la Guerra Civil Española (nacionalistas y republicanos), ¿qué representa a los nacionalistas? ¿Qué representa a los republicanos? ¿Por qué?
4. ¿De qué lloran las dos figuras en los lados extremos del mural? ¿Son militares o civiles? ¿Qué emoción desea suscitar el artista con estas dos figuras?
5. Describe el impacto total del mural.

Preguntas de cultura:

1. ¿Cómo es este cuadro diferente estilísticamente de los de Velázquez y Goya?
2. ¿A qué corriente cultural pertenece este tipo de expresión artística?

OTRAS OBRAS QUE SE PUEDEN PROYECTAR PARA LA PRÁCTICA. CADA CUADRO TIENE UNA CONEXIÓN CON UNA OBRA DE LA LISTA DE AP.

- Batalla de la Reconquista (miniatura de manuscrito) http://tiny.cc/14h4ew (Rey moro)
- Juglares cantando romances (miniatura de manuscrito) http://tiny.cc/u8h4ew (Romancero)
- Conquista de México (Diego Rivera) http://tiny.cc/6hh4ew (Cortés)
- Encuentro entre Cortés y Moctezuma (Códice) http://tiny.cc/lmh4ew (Cortés)
- Ciego haciendo vomitar a Lazarillo (Goya) http://tiny.cc/g5i4ew (*Lazarillo*)
- Lazarillo comiéndose el pan del clérigo (dibujo) http://tiny.cc/0aj4ew (*Lazarillo*)
- Cuadro de pícaro (Murillo) http://tiny.cc/9ej4ew (*Lazarillo*)

- Cuadro de pícaro (Velásquez) http://tiny.cc/cjj4ew (*Lazarillo*)
- Cuadro de Venus (Botticelli) http://tiny.cc/lnj4ew (Garcilaso)
- Vanitas (Valdés Leal) http://tiny.cc/buj4ew (*memento mori* , Góngora)
- Ilusión de la vida (Frida Kahlo) http://tiny.cc/buo8ew (*memento mori*, Góngora)
- Ejército de Pancho Villa http://tiny.cc/bf44ew (Allende)
- Sueño (Rivera) http://tiny.cc/4ap8ew (Allende)
- Cuadro de Magritte http://tiny.cc/7w44ew (Dualidad del ser)
- Códice azteca de sacrificio humano http://tiny.cc/1g54ew (Cortázar)
- Descubrimiento de América (Dalí) http://tiny.cc/15b6ew (Sociedades en contacto)
- La persistencia de la memoria (Dalí) http://tiny.cc/t8b6ew (Neruda, Borges, Tiempo y espacio)
- Cisnes reflejando elefantes (Dalí) http://tiny.cc/8ac6ew (Neruda)
- Las señoritas de Avignon (Picasso) http://tiny.cc/gk16ew (*Bernarda Alba*)
- Olga Klokova (Picasso) http://tiny.cc/op16ew (Burgos)
- Amantes (Picasso) http://tiny.cc/my16ew (Bécquer)
- Foto de Picasso http://tiny.cc/m416ew ("Borges y yo")
- Mujeres junto al mar (Sorolla) http://tiny.cc/xpg8ew ("Ahogado")
- Juan de Pareja (Velázquez) http://tiny.cc/7vg8ew (*Lazarillo*, Guillén)
- Papa Inocencio X (Velázquez) http://tiny.cc/yho8ew (arzobispo en *Lazarillo*)
- Las lanzas (Velázquez) http://tiny.cc/9ko8ew (Relaciones interpersonales)
- Pelona (Frida Kahlo) http://tiny.cc/nqo8ew (Construcción del género)
- Campesinos (Rivera) http://tiny.cc/z7o8ew (Rivera)
- Matilde Urrutia (Rivera) http://tiny.cc/wkp8ew (Julia de Burgos)
- Fotografia (Juan Rulfo) http://tiny.cc/7qp8ew (Rivera)
- El grito (Guayasamín) http://tiny.cc/v5p8ew (Quiroga)
- Pygmalion and Galatea (Jean-Léon Gérôme) http://tiny.cc/rzt8ew (Fuentes)
- Autorretrato (Murillo) http://tiny.cc/gau8ew (Creación literaria)
- No oyes ladrar los perros (Sergio Michilini) http://tiny.cc/shu8ew (Rulfo)
- Infierno (Bosch) http://tiny.cc/d6v9ew (*Burlador*)
- Andrés (Gustav Dore) http://tiny.cc/zgw9ew (*Don Quijote*)
- San José y Cristo (El Greco) http://tiny.cc/stv9ew (Quiroga)
- Tempestad (Turner) http://tiny.cc/anw9ew (Heredia)
- Yanga (Carrión) http://tiny.cc/dxx9ew (Guillén)

Caprichos de Goya que corresponden a las obras:

Burgos
- Gráfica: Goya, Capricho 6, "Nadie se conoce" (El mundo es una máscara, el rostro, el traje y la voz todo es fingido; todos quieren aparentar lo que no son, todos se engañan y nadie se conoce).
- Gráfica: Goya, Capricho 55, "Hasta la muerte" (*Lo que hacen las mujeres para ser más jóvenes*)

Guillén

- Gráfica: Carrión, "Yanga" (Cuadro que se puede interpretar como mestizaje y como opresión)

Lazarillo

- Gráfica: Goya, Capricho 13, "Están calientes" (*Los frailes estúpidos se atracan, alla a sus horas, en los refectorios, riéndose del mundo; ¡qué han de hacer sino estar calientes!*)

- Gráfica: Goya, Capricho 22, "Pobrecitas" (*Las infelices que se hacen prostitutas, tal vez por miseria, son llevadas a las cárceles, cuando se les antoja a los alguaciles; las de rumbo viven como les da la gana, porque las leyes sólo se han hecho para los pobres*).

- Gráfica: Goya, Capricho 25, "Si se quebró el cántaro" (*Muestra el maltrato de los niños por sus padres por cualquier cosa*).

- Gráfica: Goya, Capricho 50, "Los Chinchillas" (*Los necios preciados de nobles se entregan a la haraganería y superstición, y cierran con candados su entendimiento, mientras los alimenta groseramente la ignorancia*).

Morejón

- Gráfica: "Negros de Esmeraldas" (africanos en Ecuador que adoptaron elementos de vestidura europea; buen ejemplo de sincretismo)

- Gráfica: Rafael Tufiño, *La Goyita* (retrato extraordinario de una fuerte mujer afrocaribeña)

Burlador

- Gráfica: Goya, Capricho 21, "¡Cuál la descañonaron!" (*Los jueces y escribanos hacen caso omiso al hombre que despluma a una mujer*).

- Gráfica: Goya, Capricho 75, "No hay quien nos desate" (*Una pareja forzada a casarse y no pueden salir del matrimonio*).

Bécquer

- Gráfica: Goya, Capricho 27, "¿Quién más remedio?" (*Goya y la Duquesa de Alba. La mujer desdeña al que verdaderamente la quiere*).

Sor Juana

- Gráfica: Goya, Capricho 32, "Porque fue sensible" (*Una mujer, por sensibilidad, perdió su honor y ahora pasa la vida encerrada en una celda de convento*).

- Gráfica: Goya, Capricho 72, "No te escaparás" (*La mujer bella siempre será perseguida por los hombres. No se escapará*).

Rulfo

- Gráfica: Goya, Capricho 42, "Tú que no puedes" (Algunos tienen que llevar a cuestas los pecados de otros).

How to Use the Testing Program
for *Reflexiones*

The testing bank for *Reflexiones* is purposefully intended to be flexible; consequently, questions are not numbered.Each type of question that appears on the AP® Spanish Literature and Culture exam is represented, following this outline:

THE AP® SPANISH LITERATURE AND CULTURE EXAM WILL CONTAIN THE FOLLOWING SECTIONS:

SECTION	NUMBEROF QUESTIONS	TIME	VALUE
1 MULTIPLE CHOICE	**65 total**	**80 min**	**50%**
1.1 Interpretive listening (audio)	15	(20 min)	(10%)
1.1.1 An interview	(4)		
1.1.2 A poem	(4)		
1.1.3 A literary topic	(7)		
1.2 Reading Analysis	**50**	(60 min)	(40 %)
1.2.1 Literary criticism	(1)		
1.2.2 Dramatic scene	(1)		
1.2.3 Poetry and prose	No. varies		

SECTION	NUMBEROF QUESTIONS	TIME	VALUE
2 FREE RESPONSE	**4 total**	**100 min**	**50%**
2.1 Short answers	2	30 min	(15%)
2.1.1 Text explanation	(1)	(15 min)	[7.5%]
2.1.2 Text and art comparison	(1)	(15 min)	[7.5%]
2.2 Essays	2	70 min	(35%)
2.2.1 Analysis of a single text	(1)	(35 min)	[17.5%]
2.2.2 Comparison of two texts	(1)	(35 min)	[17.5%]

Several of the more contemporary passages are under copyright laws and therefore could not be reprinted. In their place we have provided the page and line numbers where these can be found in *Reflexiones*. Students can be directed to the book to read those paragraphs. For purposes of cutting and pasting together an exam, we have provided for you the first words of each text in order to do an "exact phrase" Internet search that will take you directly to the passage in question. The full texts are all available on the Internet. The same is true for the art samples and a few of the audio stimuli.

There are three obvious ways to make exams from the bank:

- Select the items dealing with works that have been studied recently in class, in order to assess the student's comprehension.

- Select one group of items (e.g., listening comprehension), and practice that particular skill.
- Make up your own exam to emulate the actual AP exam by selecting the necessary items from the list, following the outline above.

The testing bank can be altered to suit your needs. Particular items can be changed or added; some of the multiple-choice items can be deleted in order to achieve the 65 questions required; etc.

Disclaimer: The items in this bank have not been pretested as they are on the official AP exam. While the keys to the questions are correct, some may not perform well in achieving their intended objective.

List of Selections with Answer Chart

MULTIPLE-CHOICE QUESTIONS (with answer chart)

SECCIÓN	SELECCIÓN	1	2	3	4	5	6	7	8	9	10
1.1.1 Entrevista	Entrevista a Isabel Allende	C	C	D	A						
	Entrevista a Guillermo Cabrera Infante	D	B	B	C						
	Entrevista a Rosa Montero	C	B	D	C						
1.1.2 Poema	Gustavo Alonso Bécquer *Rima XXX*	C	B	D	D						
	Rubén Darío *Lo fatal*	A	D	A	C						
	Antonio Machado *Anoche cuando dormía*	C	A	A	B						
1.1.3 Temas literarios	Época Medieval *La épica medieval*	C	D	D	C	A	B	C			
	Miguel de Cervantes *Novelas ejemplares*	C	B	B	C	B	D	A			
	Alfonsina Storni	A	C	C	C	B	D	D			
1.2.1 Crítica literaria	Rubén Darío	C	A	B	B	C					
	Miguel de Cervantes *Don Quijote*	C	A	C	B	B	A				
	Gabriel García Márquez	D	C	B	C	D	B				
1.2.2 Escena dramática	Federico García Lorca *La casa de Bernarda Alba*	C	C	D	B	A	A	B	A	C	
	Tirso de Molina *El burlador de Sevilla* I	D	D	A	B	C	C	C	C	B	B
	Tirso de Molina *El burlador de Sevilla* II	C	C	B	B	D	B	C	A	B	B
1.2.3 Poesía y prosa	Gustavo Adolfo Bécquer *Rima II*	C	A	D	A	D	A	C			
	Gustavo Adolfo Bécquer *El rayo de Luna*	B	A	B	A	B					
	Miguel de Cervantes I *Don Quijote de la Mancha. Capítulo II*	D	C	B	A	A	A	B	A	B	
	Miguel de Cervantes II *Don Quijote de la Mancha. Capítulo IX*	D	A	D	A	C	C				
	Leopoldo Alas (Clarín) *El dúo de la tos*	B	D	C	B	A	B				
	Rubén Darío I *Amo, amas*	C	A	B	C	D	D				
	Rubén Darío II *Melancolía*	B	D	C	C	A	B	A	A		
	Carlos Fuentes *Chac Mool*	A	C	B	A	C	B				
	Gabriel García Márquez *La siesta del martes*	C	A	D	B	A	C	C	C		

(Continuéd)

SECCIÓN	SELECCIÓN	1	2	3	4	5	6	7	8	9	10
1.2.3 Poesía y prosa (continued)	Luis de Góngora *Mientras por competir*	B	B	B	D	A	C	B	B		
	José María Heredia *En una tempestad*	C	A	C	A	D	C	A	B		
	Lazarillo de Tormes	A	C	C	D	B	B	C	A		
	José Martí *Nuestra América*	C	C	B	C	A					
	Amado Nervo *A Leonor*	D	B	B	A	B					
	Emilia Pardo Bazán *La cana*	C	C	D	C	B					
	Romance del rey moro que perdió Alhama	D	A	C	C	B	C	D	C	C	
	Juan Rulfo *¿No oyes ladrar los perros?*	C	C	B	C	C	A				
	Sor Juana Inés de la Cruz *Hombres necios que acusáis*	B	B	C	A	A	B	C			
	Sabine Ulibarrí *Mi caballo mago*	B	A	C	B	A	D				
	Luisa Valenzuela *Tango*	D	D	D	C	B	D	A			
	César Vallejo *Los heraldos negros*	B	A	B	C	D	A				
	Mario Vargas Llosa *Día domingo*	C	C	D	B	B	C	D	C	D	
	Javier de Viana *Los amores de Bentos Sagrera*	A	C	B	B	C	C	B	B		

FREE-RESPONSE QUESTIONS— SHORT ANSWERS AND ESSAYS (answers will vary)

SECCIÓN	SELECCIÓN
2.1.1 Text explanation	Rubén Darío *A Roosevelt*
	Jorge Luis Borges *El sur*
	José María Heredia *En una tempestad*
2.1.2 Text and art comparison	**Barroco:** Poema de Góngora e imagen de la Capilla del Rosario en Puebla, México
	Mestizaje: Pintura de castas del siglo XVIII y el fragmento de "Balada de los dos abuelos" de Nicolás Guillén del siglo XX
	Surrealismo: "Walking around" de Pablo Neruda y el cuadro de Salvador Dalí *Cisnes reflejando elefantes*
2.2.1 Analysis of a single text	Gabriel García Márquez *El ahogado más hermoso del mundo*
	Julio Cortázar *La noche boca arriba*
	José Ortega y Gasset *La deshumanización del arte*
2.2.2 Comparison of two texts	Gustavo Adolfo Bécquer *Volverán las oscuras golondrinas* y Pablo Neruda *Farewell*
	Jorge Luis Borges *Borges y yo* y Julia de Burgos *A Julia de Burgos*
	Federico García Lorca *La casa de Bernarda Alba* y Fernando de Rojas *La Celestina*

Reflexiones AP® Edition, Instructor Resource Manual and Testing Program © Pearson Education, Inc.

Sección: 1.1.1 Entrevista

Directions: *You are going to listen to a selection in Spanish. The selection will be played only once. While listening to the selection you may take notes. Your notes will not be scored. After listening to the selection, you will respond to four questions. Based on the information provided in the selection, select the BEST answer to each question from among the choices. You will have 1 minute to answer the questions.*

Instrucciones: *Vas a escuchar una selección en español. La selección se escuchará sólo una vez. Mientras escuchas la selección puedes tomar apuntes. Tus apuntes no serán evaluados. Después de escuchar la selección, tienes que responder a cuatro preguntas. Basándote en la información que se da en la selección, para cada pregunta elige la MEJOR respuesta de las opciones. Tienes 1 minuto para responder a las preguntas.*

Entrevista con Isabel Allende (4)

Para escuchar la entrevista:

http://www.youtube.com/watch?v=iao8rjJGzpo

1. ¿Sobre qué será la próxima novela de Isabel Allende?
   - (A) Su vida en California
   - (B) Su esposo Willie
   - (C) No tiene la menor idea.
   - (D) No quiere revelarlo.

2. ¿Dónde escribe sus obras Isabel Allende?
   - (A) Junto a su piscina
   - (B) En un lugar apartado que nadie sabe
   - (C) En una casita especial
   - (D) En cualquier lugar donde se encuentre

3. ¿Por qué necesita Isabel Allende que le revisen el español antes de publicar sus novelas?
   - (A) Se lo demanda la casa editorial.
   - (B) Solo habla inglés con su compañero.
   - (C) Como es chilena, teme emplear muchas expresiones que otros no van a comprender.
   - (D) Trata de hacer más rico el idioma en sus novelas y requiere ayuda profesional.

4. ¿Cómo se siente Isabel Allende al terminar un libro?
   - (A) Se siente aliviada por muy poco tiempo.
   - (B) Teme lo que vayan a decir los críticos.
   - (C) Tiene la esperanza de que hagan una película.
   - (D) Se pone nerviosa pensando en su próximo libro.

Sección: 1.1.1 Entrevista

Directions: *You are going to listen to a selection in Spanish. The selection will be played only once. While listening to the selection you may take notes. Your notes will not be scored. After listening to the selection, you will respond to four questions. Based on the information provided in the selection, select the BEST answer to each question from among the choices. You will have 1 minute to answer the questions.*

Instrucciones: *Vas a escuchar una selección en español. La selección se escuchará sólo una vez. Mientras escuchas la selección puedes tomar apuntes. Tus apuntes no serán evaluados. Después de escuchar la selección, tienes que responder a cuatro preguntas. Basándote en la información que se da en la selección, para cada pregunta elige la MEJOR respuesta de las opciones. Tienes 1 minuto para responder a las preguntas.*

Entrevista a Guillermo Cabrera Infante (4)

Para escuchar la entrevista:

http://www.youtube.com/watch?v=hViYqFEgMUM

1. ¿Cómo se manifestó el interés tan fuerte de Cabrera Infante en el cine?
    - (A) Fue escritor antes de cineasta.
    - (B) En Cuba proyectaban películas de todos los países.
    - (C) Su madre era muy aficionada.
    - (D) Aprendió a entender películas antes de aprender a leer.

2. ¿Cómo aprendió Cabrera Infante a leer?
    - (A) Necesitaba entender los subtítulos de las películas.
    - (B) Tenía curiosidad por lo que se decía en los globos de los muñequitos.
    - (C) Sus padres le enseñaron a los cuatro años.
    - (D) Vivía en una casa muy culta y su padre quería que fuera escritor.

3. ¿Por qué desilusionó Cabrera Infante a su padre cuando estudiaba en el instituto?
    - (A) No tenía interés en la literatura.
    - (B) Le faltaban los conocimientos necesarios para la carrera que el padre deseaba.
    - (C) Solamente quería leer los *comics*.
    - (D) Seguía coleccionando muñequitos y hasta viajaba a Europa para conseguirlos.

4. ¿Cómo se aficionó por la literatura?
    - (A) Finalmente decidió complacer a su padre.
    - (B) Se dio cuenta que los muñequitos también eran literarios.
    - (C) Un maestro lo introdujo a las obras clásicas.
    - (D) Conoció a varios autores cuando se trasladó a La Habana.

Sección: 1.1.1 Entrevista

Directions: *You are going to listen to a selection in Spanish. The selection will be played only once. While listening to the selection you may take notes. Your notes will not be scored. After listening to the selection, you will respond to four questions. Based on the information provided in the selection, select the BEST answer to each question from among the choices. You will have 1 minute to answer the questions.*

Instrucciones: *Vas a escuchar una selección en español. La selección se escuchará sólo una vez. Mientras escuchas la selección puedes tomar apuntes. Tus apuntes no serán evaluados. Después de escuchar la selección, tienes que responder a cuatro preguntas. Basándote en la información que se da en la selección, para cada pregunta elige la MEJOR respuesta de las opciones. Tienes 1 minuto para responder a las preguntas.*

Entrevista a Rosa Montero (4)

Para escuchar la entrevista:

http://www.youtube.com/watch?v=DrWSeUXgGJQ

1. ¿Cuál era la idea original de Rosa Montero al escribir *Lágrimas de la lluvia*?
   - (A) Que fuera su última novela
   - (B) Que representara un cambio radical en su modo de escribir
   - (C) Que fuera el comienzo de una serie de novelas
   - (D) Que reflejara el Madrid del siglo XX

2. ¿Por qué llegó Montero a odiar la novela mientras la escribía?
   - (A) Perdió el interés.
   - (B) Sufrió una tragedia.
   - (C) Le faltó la inspiración.
   - (D) Se divorció de su marido.

3. ¿Por qué cree Montero que la protagonista de *Lágrimas de la lluvia* es su creación favorita?
   - (A) Le recuerda mucho a sí misma.
   - (B) Está basada en su madre.
   - (C) Es una mujer trágica.
   - (D) Es una figura muy enérgica.

4. ¿Qué opina la autora respecto a las novelas fantásticas?
   - (A) Se escriben porque el público lo demanda.
   - (B) Son para evadir los problemas de la realidad.
   - (C) Contienen discursos relevantes para la actualidad.
   - (D) No queda clara su intención.

Sección: 1.1.2 Poema

Directions: *Read the following poem carefully. The poem is followed by questions or incomplete statements. Based on the information provided in the poem, select the BEST answer to each question from among the choices.*

Instrucciones: *Lee con cuidado el siguiente poema. El poema va seguido de varias preguntas u oraciones incompletas. Basándote en la información que se da en el poema, para cada pregunta elige la MEJOR respuesta de las opciones.*

Gustavo Alonso Bécquer *Rima XXX* (4)

Para leer este poema:

http://albalearning.com/audiolibros/becquer/rimaxxx.html

1. Este poema trata de un amor
   - (A) correspondido
   - (B) frustrado
   - (C) platónico
   - (D) imposible

2. ¿Cuál es la causa de la separación de los dos amantes?
   - (A) El orgullo
   - (B) La distancia
   - (C) La casualidad
   - (D) El qué dirán

3. ¿Qué figura retórica describe mejor la expresión "nuestro mutuo amor"?
   - (A) Encabalgamiento
   - (B) Hipérbaton
   - (C) Sinestesia
   - (D) Aliteración

4. Por el fuerte "yo" de la voz lírica, se puede suponer que este poema se escribió durante
   - (A) el Siglo de Oro
   - (B) la Edad Media
   - (C) el Vanguardismo
   - (D) el Romanticismo

Sección: 1.1.2 Poema

Directions: Read the following poem carefully. The poem is followed by questions or incomplete statements. Based on the information provided in the poem, select the BEST answer to each question from among the choices.

Instrucciones: Lee con cuidado el siguiente poema. El poema va seguido de varias preguntas u oraciones incompletas. Basándote en la información que se da en el poema, para cada pregunta elige la MEJOR respuesta de las opciones.

Rubén Darío *Lo fatal* (4)

Para leer este poema:

http://albalearning.com/audiolibros/dario/lofatal.html

1. ¿Por qué envidia el yo lírico el árbol y la piedra?
   - (A) Porque son parte de la naturaleza
   - (B) Porque duran mucho tiempo
   - (C) Porque son prácticamente insensibles
   - (D) Porque no le hacen daño a nadie

2. ¿Qué es lo que más le preocupa al yo lírico?
   - (A) Que su amante ya no lo quiere
   - (B) La incertidumbre del porvenir
   - (C) La vida después de la muerte
   - (D) Sus sentimientos carnales

3. ¿Qué figura retórica se emplea en el verso "Ser, y no saber nada, y ser sin rumbo cierto"
   - (A) Aliteración
   - (B) Antífrasis
   - (C) Asíndeton
   - (D) Anadiplosis

4. ¿Qué certeza tiene el yo lírico?
   - (A) Permanecer en las sombras
   - (B) Seguir el buen camino
   - (C) Morirse algún día
   - (D) Disfrutar sensualmente

Sección: 1.1.2 Poema

Directions: *Read the following poem carefully. The poem is followed by questions or incomplete statements. Based on the information provided in the poem, select the BEST answer to each question from among the choices.*

Instrucciones: *Lee con cuidado el siguiente poema. El poema va seguido de varias preguntas u oraciones incompletas. Basándote en la información que se da en el poema, para cada pregunta elige la MEJOR respuesta de las opciones.*

Antonio Machado *Anoche cuando dormía* (4)

Para leer este poema:

http://albalearning.com/audiolibros/machado/anochecuandodormia.html

http://www.youtube.com/watch?v=zdxGbNVaKGo

1. ¿Qué efecto tienen la fontana, la colmena y el sol para el yo lírico?
    - (A) Le hacen perder su fe.
    - (B) Le estimulan a luchar.
    - (C) Le consuelan.
    - (D) Le perturban.

2. ¿Qué proceso se nota con los signos de la colmena y las abejas?
    - (A) La transformación de experiencias dolorosas en otras positivas
    - (B) La introducción de elementos de la naturaleza
    - (C) El cambio de lo real a lo fantástico
    - (D) El uso de contrastes antitéticos

3. ¿En qué estado de ánimo se encuentra el yo lírico en este poema?
    - (A) Inspirado
    - (B) Impotente
    - (C) Inseguro
    - (D) Indeciso

4. ¿Qué técnica literaria resalta en este poema?
    - (A) Cacofonía
    - (B) Repetición
    - (C) Perífrasis
    - (D) Gradación

Sección: 1.1.3 Temas literarias

Directions: *You are going to listen to a selection in Spanish. The selection will be played only once. While listening to the selection you may take notes. Your notes will not be scored. After listening to the selection, you will respond to seven questions. Based on the information provided in the selection, select the BEST answer to each question from among the choices.*

Instrucciones: *Vas a escuchar una selección en español. La selección se escuchará sólo una vez. Mientras escuchas la selección puedes tomar apuntes. Tus apuntes no serán evaluados. Después de escuchar la selección, tienes que responder a siete preguntas. Basándote en la información que se da en la selección, para cada pregunta elige la MEJOR respuesta de las opciones.*

La épica medieval (7)

Para escuchar la entrevista:

http://www.ivoox.com/epica-medieval-audios-mp3_rf_399117_1.html

1. ¿Qué caracteriza a los cantares de gesta?
    (A) Tratan de amores y desengaños de parejas.
    (B) Son composiciones protagonizadas por moros.
    (C) Tratan de las hazañas de un héroe.
    (D) Son obras populares escritas en prosa.

2. ¿Qué tipo de poesía son los cantares de gesta?
    (A) Lírico
    (B) Dramático
    (C) Místico
    (D) Narrativo

3. ¿En qué época se cultivaron los cantares de gesta?
    (A) El Renacimiento
    (B) La Ilustración
    (C) El Siglo de Oro
    (D) La Edad Media

4. ¿Cómo se divulgaron los cantares de gesta?
    (A) Publicados en los Romanceros
    (B) Conservados por los monjes copistas
    (C) Transmitidos oralmente por juglares
    (D) Patrocinados por la monarquía

5. ¿Cómo recobra el Cid el favor del rey?
    (A) Conquistando territorios para la Corona
    (B) Casando a sus hijas con los Infantes
    (C) Elogiando la magnanimidad del rey
    (D) Pidiéndole perdón públicamente

6. Un tema principal del *Poema del Cid* es
    (A) El amor
    (B) El honor
    (C) La religión
    (D) La fidelidad

7. ¿Qué se narra en el último cantar del *Poema del Cid*?
    (A) La conquista de Valencia
    (B) La paz lograda entre moros y cristianos
    (C) La venganza contra los Infantes de Carrión
    (D) El casamiento del Cid

Sección: 1.1.3 Temas literarias

Directions: *You are going to listen to a selection in Spanish. The selection will be played only once. While listening to the selection you may take notes. Your notes will not be scored. After listening to the selection, you will respond to seven questions. Based on the information provided in the selection, select the BEST answer to each question from among the choices.*

Instrucciones: *Vas a escuchar una selección en español. La selección se escuchará sólo una vez. Mientras escuchas la selección puedes tomar apuntes. Tus apuntes no serán evaluados. Después de escuchar la selección, tienes que responder a siete preguntas. Basándote en la información que se da en la selección, para cada pregunta elige la MEJOR respuesta de las opciones.*

Miguel de Cervantes *Novelas ejemplares* (7)

Para escuchar la entrevista:

Do an Internet search for "RTVE Cervantes Novelas ejemplares". Make certain you are in "RTVE Biblioteca básica."

1. ¿Por qué dice Cervantes que fue el primero en escribir novelas en castellano?
   - (A) En España nadie había escrito ficción en prosa antes que Cervantes.
   - (B) Las otras novelas que se escribían no eran ejemplares.
   - (C) Solo había traducciones y adaptaciones de novelas al español.
   - (D) No sabía que otros ya habían ensayado el género.

2. ¿Cómo contribuye Cervantes al género novelesco?
   - (A) Mantiene la tradición italiana.
   - (B) Lo renueva y hace más amplio su contenido.
   - (C) Escribe obras más largas.
   - (D) Rechaza todo aquello que no sea ejemplar.

3. De acuerdo con lo que escribe Cervantes en el Prólogo, ¿cómo se siente con su producción literaria?
   - (A) Esperanzado
   - (B) Satisfecho
   - (C) Entretenido
   - (D) Afortunado

4. ¿Cuál de las siguientes oraciones corresponde a la descripción física que hace Cervantes de sí mismo?
   - (A) Era alto y delgado.
   - (B) Llevaba gafas gruesas.
   - (C) Tenía mala dentadura.
   - (D) Su nariz era muy grande para su cara.

5. Según la locutora, ¿por qué ofrece Cervantes esta descripción?

   (A) Era una prefiguración de lo que luego sería don Quijote.
   (B) Para que fuera conocido por la posteridad
   (C) Para hacer reír a sus lectores
   (D) Se describe como guapo para enojar a sus enemigos.

6. ¿Cómo describe Cervantes la pérdida del uso de su mano izquierda?

   (A) Con enfado
   (B) Con tristeza
   (C) Con humor
   (D) Con orgullo

7. En su prólogo, Cervantes se proyecta como alguien

   (A) seguro de sí mismo
   (B) combativo
   (C) humilde y sencillo
   (D) sereno

Reflexiones AP® Edition, Instructor Resource Manual and Testing Program © Pearson Education, Inc.

Sección: 1.1.3 Temas literarias

Directions: *You are going to listen to a selection in Spanish. The selection will be played only once. While listening to the selection you may take notes. Your notes will not be scored. After listening to the selection, you will respond to seven questions. Based on the information provided in the selection, select the BEST answer to each question from among the choices.*

Instrucciones: *Vas a escuchar una selección en español. La selección se escuchará sólo una vez. Mientras escuchas la selección puedes tomar apuntes. Tus apuntes no serán evaluados. Después de escuchar la selección, tienes que responder a siete preguntas. Basándote en la información que se da en la selección, para cada pregunta elige la MEJOR respuesta de las opciones.*

Alfonsina Storni (7)

Para escuchar la entrevista:

http://www.youtube.com/watch?v=pNnR_ydtWa0

1. ¿Dónde nace Alfonsina Storni?
   - (A) Suiza
   - (B) España
   - (C) Estados Unidos
   - (D) Argentina

2. ¿Por qué le dice la madre a Alfonsina que "la vida es dulce"?
   - (A) Veía a Alfonsina frustrada por no encontrar trabajo.
   - (B) Quería corroborar la visión del mundo de Alfonsina.
   - (C) Leyó un poema de Alfonsina que era muy triste.
   - (D) Se sintió halagada por el afecto de su hija.

3. ¿Por qué se fue Alfonsina a vivir a Buenos Aires?
   - (A) Su trabajo lo requería.
   - (B) Su familia la mandó a estudiar allí.
   - (C) Había quedado embarazada.
   - (D) Su padre era abusivo y borracho.

4. ¿Cómo describirías el reconocimiento que recibió en la capital?
   - (A) Nadie reconoció su importancia hasta su muerte.
   - (B) Conocía a todos los escritores importantes pero no la respetaban.
   - (C) Alcanzó la fama y hasta el premio nacional de literatura.
   - (D) Murió muy joven para que fuera bien conocida.

5. ¿Qué se dice en este *podcast* sobre el estado mental de la escritora?

   (A) Psicopático

   (B) Neurótico

   (C) Hipocondriaco

   (D) Esquizofrénico

6. ¿Cómo murió Alfonsina?

   (A) Se hundió el barco en que regresaba a Europa.

   (B) Tenía cáncer.

   (C) Trató de salvar a su amiga.

   (D) Se ahogó en un centro vacacional.

7. ¿Durante qué período se puede inferir que vivió Alfonsina (nació en 1892 y falleció en 1938)?

   (A) El Romanticismo

   (B) La Generación del 98

   (C) El Boom

   (D) El Modernismo

Sección: 1.2.1 Crítica literaria

Directions: *Read the following passage carefully. The passage is followed by questions or incomplete statements. Based on the information provided in the passage, select the BEST answer to each question from among the choices.*

Instrucciones: *Lee con cuidado el siguiente pasaje. El pasaje va seguido de varias preguntas u oraciones incompletas. Basándote en la información que se da en el pasaje, para cada pregunta elige la MEJOR respuesta de las opciones.*

Rubén Darío (5)

Do an Internet search for "Dariana critica" and select Octavio Paz from the menu. The selection in question is comprised of the last two paragraphs.

1. Según este crítico, ¿qué le pasó al idioma español con el Modernismo?
   (A) Rompió totalmente con el lenguaje del Siglo de Oro.
   (B) Estableció un léxico fijo para la expresión poética.
   (C) Le impartió nueva vida a la lengua castellana.
   (D) Unió el habla de España con el de Hispanoamérica.

2. ¿Qué efecto tuvo el Modernismo para la poesía de la lengua española?
   (A) Influyó muchísimo en la poesía posterior.
   (B) Estableció unas normas rígidas que se han seguido hasta hoy día.
   (C) Descubrió de nuevo la poesía de Sor Juana.
   (D) Hizo que el léxico hispanoamericano sustituyera el del castellano.

3. ¿Qué dice el autor sobre Unamuno y Machado respecto al Modernismo?
   (A) Lo abrazaron y contribuyeron a su difusión.
   (B) Mantuvieron su distancia a pesar de sentir su influencia.
   (C) Se rindieron frente al genio de Rubén Darío.
   (D) Se negaron a aceptar una influencia extranjera.

4. ¿Qué expresa este crítico con respecto a los modernistas y su lenguaje?
   (A) Los modernistas encarcelaron el lenguaje poético.
   (B) Muchos modernistas se opusieron al mismo lenguaje que habían inventado.
   (C) La misma velocidad de cambio creó una inmovilidad lingüística total.
   (D) El idioma español se hizo el más importante para la expresión poética.

5. ¿Qué opinión expresa este crítico sobre Rubén Darío?
   (A) Es el mejor poeta del Modernismo.
   (B) Sus discípulos (Lugones, Juan Ramón Jiménez, etc.) lo superaron.
   (C) Su obra juvenil supera a lo que escribió posteriormente.
   (D) Es un poeta con limitaciones.

Sección: 1.2.1 Crítica literaria

Directions: *Read the following passage carefully. The passage is followed by questions or incomplete statements. Based on the information provided in the passage, select the BEST answer to each question from among the choices.*

Instrucciones: *Lee con cuidado el siguiente pasaje. El pasaje va seguido de varias preguntas u oraciones incompletas. Basándote en la información que se da en el pasaje, para cada pregunta elige la MEJOR respuesta de las opciones.*

Miguel de Cervantes *Don Quijote* (6)

Do an Internet search for "Eisenberg Cervantes Cide Hamete" and select the chapter *"Don Quijote, I, un libro de caballerías burlesco"* and the subheading "Cide Hamete". The passage is the entire section.

1. Según este crítico, ¿porqué acababan inconclusos los capítulos de las novelas de caballería?

    (A) Para fines artísticos

    (B) Porque así lo requerían los lectores

    (C) Era un truco para ganar más dinero.

    (D) Creaba de este modo una obra abierta.

2. La "antigua" primera parte del *Quijote* termina cuando

    (A) don Quijote está combatiendo

    (B) se encuentra un traductor

    (C) empieza la historia de Cide Hamete

    (D) el vizcaíno le hace una burla a don Quijote

3. En el *Quijote*, ¿qué contribuye a alejar al lector de la verdad?

    (A) Las novelas picarescas

    (B) La figura de don Quijote

    (C) Una traducción defectuosa

    (D) La lengua castellana

4. Según este crítico, ¿de dónde sacó Cervantes la idea de rescatar el texto de Cide Hamete?

    (A) De un amigo árabe

    (B) De otras novelas de caballería

    (C) De fuentes griegas antiguas

    (D) De las traducciones

5. ¿Por qué pudo Cide Hamete haber manipulado la historia de don Quijote?

    (A) Para confundir a Cervantes

    (B) Porque era enemigo de cristianos

    (C) Porque no conocía la versión de Cervantes

    (D) Para complacer a su público

6. Según este pasaje, ¿por qué hay que ser un lector cuidadoso?

    (A) Los libros a veces engañan.

    (B) Hay que distinguir entre lo ficticio y lo fantástico.

    (C) Las traducciones, en su mayoría, son fidedignas.

    (D) Puede haber muchas erratas.

Sección: 1.2.1 Crítica literaria

Directions: *Read the following passage carefully. The passage is followed by questions or incomplete statements. Based on the information provided in the passage, select the BEST answer to each question from among the choices.*

Instrucciones: *Lee con cuidado el siguiente pasaje. El pasaje va seguido de varias preguntas u oraciones incompletas. Basándote en la información que se da en el pasaje, para cada pregunta elige la MEJOR respuesta de las opciones.*

Gabriel García Márquez (6)

Do an Internet search for "Hispanismo El ahogado más hermoso". Make certain that you are in an article by Gemma María Santiago Alonso. The passage in question is on page 26, the last paragraph that begins "El ahogado más hermoso del mundo irrumpirá en la cotidianeidad del pueblo" and ends with and includes the paragraph on page 27 that begins with "Esteban despertó la unidad y singularidad al pueblo protagonista" (a total of three paragraphs).

1. Según este crítico, ¿qué es lo más importante del relato "El ahogado más hermoso del mundo"?
    (A) El Realismo mágico que emplea García Márquez
    (B) La transformación del ahogado Esteban
    (C) El descubrimiento del cadáver
    (D) El efecto del ahogado en el pueblo

2. ¿De qué sufre el pueblo antes del descubrimiento del cadáver?
    (A) El materialismo
    (B) La hostilidad
    (C) El aislamiento
    (D) La ignorancia

3. Para este crítico, ¿qué ironía encierra el elemento mágico del relato?
    (A) Lo mágico no es mágico en realidad.
    (B) Lo mágico conduce a la realidad.
    (C) El realismo mágico se pone de manifiesto.
    (D) El realismo mágico no juega un papel significativo.

4. ¿Por qué es necesario que el ahogado desaparezca del pueblo?
    (A) Porque es un ente de ficción
    (B) No sería convincente de otro modo.
    (C) El pueblo tiene que renovarse por su propia cuenta.
    (D) Porque es parte de lo real maravilloso

5. Entre otras cosas, ¿qué se menciona en esta crítica de los efectos que provoca Esteban?

    (A) La fe en un ser supremo

    (B) Un espíritu de tolerancia

    (C) Un deseo de fantasía

    (D) Un sentido de creatividad

6. ¿Cuál de los siguientes comentarios podría llevar una nota de referencia al pie de la página si lo utilizaras en una investigación?

    (A) Esteban representa las coincidencias de la vida.

    (B) Esteban tiene que desaparecer para que no se convierta en otra norma para el pueblo.

    (C) Esteban, aunque posee un elemento de lo fantástico, en realidad es pragmático.

    (D) Esteban tiene el potencial de tener una influencia negativa así como la tiene de positiva.

Reflexiones AP® Edition, Instructor Resource Manual and Testing Program © Pearson Education, Inc.

Sección: 1.2.2 Escena dramática

Directions: *Read the following passage carefully. The passage is followed by questions or incomplete statements. Based on the information provided in the passage, select the BEST answer to each question from among the choices.*

Instrucciones: *Lee con cuidado el siguiente pasaje. El pasaje va seguido de varias preguntas u oraciones incompletas. Basándote en la información que se da en el pasaje, para cada pregunta elige la MEJOR respuesta de las opciones.*

The passage from Lorca can be found in *Reflexiones*, pp. 366–367, ll. 284–329. For an advanced Internet search, the first lines are "(En voz baja.)Adela. (Pausa.Avanza hasta la puerta.En voz alta.)".

1. ¿Quién es el autor de esta pieza teatral?
    (A) Gabriel García Márquez
    (B) Emilia Pardo Bazán
    (C) Federico García Lorca
    (D) Oswaldo Dragún

2. ¿Qué posible razón tendría Adela para estar despeinada?
    (A) Es por la mañana y se ha despertado hace un momento.
    (B) Es una mujer descuidada en todo.
    (C) Acaba de estar con un hombre.
    (D) Ha peleado con su hermana Angustias.

3. ¿Por qué quiere Martirio que Adela deje a Pepe el Romano?
    (A) Quiere evitar un escándalo.
    (B) Está protegiendo a Angustias.
    (C) No quiere enojar a su madre.
    (D) Quiere a Pepe para sí misma.

4. Según Adela, ¿por qué se casa Pepe con Angustias?
    (A) Belleza
    (B) Riqueza
    (C) Sexualidad
    (D) Coraje

5. ¿En qué están de acuerdo Martirio y Adela?
    (A) Pepe quiere a Adela.
    (B) La madre no permitirá un escándalo.
    (C) Angustias no sobrevivirá el primer parto.
    (D) Al final nadie poseerá a Pepe.

Reflexiones AP® Edition, Instructor Resource Manual and Testing Program © Pearson Education, Inc.

6. Para tener a Pepe, Adela está dispuesta a todo EXCEPTO

    (A) matar a Angustias

    (B) armar un escándalo en el pueblo

    (C) repudiar a su familia

    (D) ser la amante de Pepe

7. ¿Qué característica comparten las dos hermanas?

    (A) Resignación

    (B) Resolución

    (C) Compasión

    (D) Tristeza

8. La expresión "Él me lleva a los juncos de la orilla" que emplea Adela comunica un tono

    (A) poético

    (B) acuático

    (C) melodramático

    (D) patético

9. ¿Qué adjetivo mejor describe el lenguaje de esta escena?

    (A) Erótico

    (B) Coloquial

    (C) Combativo

    (D) Clásico

Sección: 1.2.2 Escena dramática

Directions: *Read the following passage carefully. The passage is followed by questions or incomplete statements. Based on the information provided in the passage, select the BEST answer to each question from among the choices.*

Instrucciones: *Lee con cuidado el siguiente pasaje. El pasaje va seguido de varias preguntas u oraciones incompletas. Basándote en la información que se da en el pasaje, para cada pregunta elige la MEJOR respuesta de las opciones.*

Tirso de Molina *El burlador de Sevilla* I (10)

ISABELA:

Duque Octavio, por aquí
podrás salir más seguro.

JUAN:

Duquesa, de nuevo os juro
de cumplir el dulce sí.

ISABELA:

Mi gloria, ¿serán verdades
promesas y ofrecimientos,
regalos y cumplimientos,
voluntades y amistades?

JUAN:

Sí, mi bien.

ISABELA:

Quiero sacar
una luz.

JUAN:

Pues, ¿para qué?.   10

ISABELA:

Para que el alma dé fe
del bien que llego a gozar.

JUAN:

Mataréte la luz yo.

ISABELA:

¡Ah, cielo! ¿Quién eres, hombre?

JUAN:

¿Quién soy? Un hombre sin nombre.

ISABELA:

¿Que no eres el duque?

JUAN:

No.

ISABELA:

¡Ah de palacio!

JUAN:

Detente.
Dame, duquesa, la mano.

ISABELA:

No me detengas, villano.
¡Ah del rey! ¡Soldados, gente!

Sale el REY de Nápoles, con una vela
en un candelero.

REY:

¿Qué es esto?

ISABELA:

¡Favor! ¡Ay, triste,
que es el rey!

REY:

¿Qué es?

JUAN:

¿Qué ha de ser?
Un hombre y una mujer.

REY:

(Aparte.) (Esto en prudencia consiste.)
¡Ah de mi guarda! Prendé
a este hombre.

ISABELA:

¡Ay, perdido honor!

Sale don PEDRO Tenorio, embajador de
España, y GUARDA.

PEDRO:

¿En tu cuarto, gran señor
voces? ¿Quién la causa fue?

REY:

Don Pedro Tenorio, a vos
esta prisión os encargo. 30
Si ando corto, andad vos largo.
Mirad quién son estos dos.
Y con secreto ha de ser,
que algún mal suceso creo;
porque si yo aquí los veo,
no me queda más que ver.

Vase el REY.

PEDRO:

Prendedle.

JUAN:

¿Quién ha de osar?
Bien puedo perder la vida;
mas ha de ir tan bien vendida
que a alguno le ha de pesar. 40

PEDRO:

Matadle.

JUAN:

¿Quién os engaña?
Resuelto en morir estoy,
porque caballero soy.
El embajador de España
llegue solo, que ha de ser
él quien me rinda.

PEDRO:

Apartad;
a ese cuarto os retirad
todos con esa mujer.

Vanse los otros.

Ya estamos solos los dos;
muestra aquí tu esfuerzo y brío. 50

JUAN:

Aunque tengo esfuerzo, tío,
no le tengo para vos.

PEDRO:

Di quién eres.

JUAN:

Ya lo digo.
Tu sobrino.

PEDRO:

¡Ay, corazón,
que temo alguna traición!
¿Qué es lo que has hecho, enemigo?
¿Cómo estás de aquesta suerte?
Dime presto lo que ha sido.
¡Desobediente, atrevido!
Estoy por darte la muerte. 60
Acaba.

JUAN:

Tío y señor,
mozo soy y mozo fuiste;
y pues que de amor supiste,
tenga disculpa mi amor.
Y pues a decir me obligas
la verdad, oye y diréla.
Yo engañé y gocé a Isabela
la duquesa.

PEDRO:

No prosigas,
tente. ¿Cómo la engañaste?
Habla quedo, y cierra el labio. 70

JUAN:

Fingí ser el duque Octavio.

Reflexiones AP® Edition, Instructor Resource Manual and Testing Program © Pearson Education, Inc.

PEDRO:

No digas más. ¡Calla! ¡Baste!
Perdido soy si el rey sabe
este caso. ¿Qué he de hacer?
Industria me ha de valer
en un negocio tan grave.
Di, vil, ¿no bastó emprender
con ira y fiereza extraña
tan gran traición en España
con otra noble mujer, 80
sino en Nápoles también,
y en el palacio real
con mujer tan principal?
¡Castíguete el cielo, amén!
Tu padre desde Castilla
a Nápoles te envió,
y en sus márgenes te dio
tierra la espumosa orilla
del mar de Italia, atendiendo
que el haberte recibido90
pagaras agradecido,
y estás su honor ofendiendo.

¡Y en tan principal mujer!
Pero en aquesta ocasión
nos daña la dilación.
Mira qué quieres hacer.

JUAN:

No quiero daros disculpa,
que la habré de dar siniestra,
mi sangre es, señor, la vuestra;
sacadla, y pague la culpa. 100
A esos pies estoy rendido,
y ésta es mi espada, señor.

PEDRO:

Álzate, y muestra valor,
que esa humildad me ha vencido.
¿Atreveráste a bajar
por ese balcón?

JUAN:

Sí atrevo.

1. ¿Qué versificación se emplea en esta escena del *Burlador de Sevilla*?
   - (A) Endecasílabo
   - (B) Irregulares
   - (C) Arte mayor
   - (D) Octosílabo

2. ¿Por qué no sabe Isabel que el hombre con quien habla no es el duque Octavio?
   - (A) Están disfrazados.
   - (B) Están de espaldas.
   - (C) Están jugando.
   - (D) Están en la penumbra.

3. Cuando don Juan dice "os juro / de cumplir el dulce sí", ¿a qué promesa se refiere?
   - (A) Casarse
   - (B) Hacer el amor
   - (C) Ayudar a Isabel
   - (D) Volver pronto

4. ¿Qué adjetivo describe mejor a don Juan a lo largo de esta escena?
   - (A) Tonto
   - (B) Ingenioso
   - (C) Burlón
   - (D) Nervioso

Reflexiones AP® Edition, Instructor Resource Manual and Testing Program © Pearson Education, Inc.

5. Teniendo en cuenta las costumbres del Siglo de Oro, ¿por qué se encuentra Isabel tan afligida por lo que le ha pasado?

    (A) En el palacio nunca se llama al rey.

    (B) El duque es de clase social inferior a don Juan.

    (C) Ha perdido su honor.

    (D) No la admiten en un convento.

6. ¿Qué característica demuestra don Juan en los versos 37-40 cuando don Pedro manda a prenderlo?

    (A) Sabiduría

    (B) Resignación

    (C) Valentía

    (D) Cautela

7. ¿Por qué quiere don Juan hablar solamente con don Pedro, el embajador de España?

    (A) Son de la misma clase social.

    (B) Son antiguos amigos.

    (C) Son parientes.

    (D) Son ambos soldados.

8. ¿Qué indican los siguientes versos del carácter de don Juan: "mozo soy y mozo fuiste; / y pues que de amor supiste, / tenga disculpa mi amor"?

    (A) Siempre apela al perdón.

    (B) Le echa siempre la culpa a otros.

    (C) Usa argumentos persuasivos.

    (D) Miente constantemente.

9. ¿Qué descubre el espectador por medio del diálogo entre don Juan y don Pedro en los versos del 77 al 92?

    (A) Don Juan se ha escapado a Nápoles de España.

    (B) No es la primera vez que don Juan goza a una noble mujer.

    (C) El padre de don Juan estaba buscando a su hijo para ayudarlo.

    (D) Don Juan quiere regresar a España para pedirle perdón a su padre.

10. Esta escena contiene un discurso bastante explícito del Siglo de Oro respecto a

    (A) la moral religiosa

    (B) la importancia de los lazos familiares

    (C) el poder de la monarquía

    (D) la ligereza de las mujeres

Reflexiones AP® Edition, Instructor Resource Manual and Testing Program © Pearson Education, Inc.

Sección: 1.2.2 Escena dramática

Directions: *Read the following passage carefully. The passage is followed by questions or incomplete statements. Based on the information provided in the passage, select the BEST answer to each question from among the choices.*

Instrucciones: *Lee con cuidado el siguiente pasaje. El pasaje va seguido de varias preguntas u oraciones incompletas. Basándote en la información que se da en el pasaje, para cada pregunta elige la MEJOR respuesta de las opciones.*

Tirso de Molina *El burlador de Sevilla* II (10)

TISBEA:

¿Quién es este caballero?

CATALINÓN:

Es hijo aqueste señor 570
del camarero mayor
del rey, por quien ser espero
antes de seis días Conde
en Sevilla, a donde va,
y adonde su alteza está,
si a mi amistad corresponde.

TISBEA:

¿Cómo se llama?

CATALINÓN:

Don Juan
Tenorio.

TISBEA:

Llama mi gente.

CATALINÓN:

Ya voy.

Vase CATALINÓN. Coge en el regazo
TISBEA a don JUAN.

TISBEA:

Mancebo excelente,
gallardo, noble y galán. 580
Volved en vos, caballero.

JUAN:

¿Dónde estoy?

TISBEA:

Ya podéis ver,
en brazos de una mujer.

JUAN:

Vivo en vos, si en el mar muero.
Ya perdí todo el recelo
que me pudiera anegar,
pues del infierno del mar
salgo a vuestro claro cielo.
Un espantoso huracán
dio con mi nave al través, 590
para arrojarme a esos pies,
que abrigo y puerto me dan,
y en vuestro divino oriente
renazco, y no hay que espantar,
pues veis que hay de amar a mar
una letra solamente.

TISBEA:

Muy grande aliento tenéis
para venir sin aliento,
y tras de tanto tormento,
mucho contento ofrecéis; 600
pero si es tormento el mar,
y son sus ondas crüeles,
la fuerza de los cordeles,
pienso que os hacen hablar.
Sin duda que habéis bebido
del mar la ración pasada,
pues por ser de agua salada
con tan grande sal ha sido.
Mucho habláis cuando no habláis,
y cuando muerto venís, 610
mucho al parecer sentís,
plega a Dios que no mintáis.
Parecéis caballo griego,
que el mar a mis pies desagua,

Reflexiones AP® Edition, Instructor Resource Manual and Testing Program © Pearson Education, Inc.

pues venís formado de agua,
y estáis preñado de fuego.
Y si mojado abrasáis,
estando enjuto, ¿qué haréis?
Mucho fuego prometéis,
plega a Dios que no mintáis. 620

JUAN:

A Dios, zagala, pluguiera
que en el agua me anegara,
para que cuerdo acabara,
y loco en vos no muriera;
que el mar pudiera anegarme

entre sus olas de plata,
que sus límites desata,
mas no pudiera abrasarme.
Gran parte del sol mostráis,
pues que el sol os da licencia, 630
pues sólo con la apariencia,
siendo de nieve abrasáis.

TISBEA:

Por más helado que estáis,
tanto fuego en vos tenéis,
que en este mío os ardéis,
plega a Dios que no mintáis.

1. ¿De qué tipo de teatro pertenece esta escena?
   - (A) Un drama romántico
   - (B) Un auto sacramental
   - (C) Una comedia del Siglo de Oro
   - (D) Una obra del teatro de lo absurdo

2. ¿Cuál es la versificación de esta escena?
   - (A) Heptasílabo
   - (B) Endecasílabo
   - (C) Octosílabo
   - (D) Alejandrino

3. ¿Qué se puede inferir de la causa de la condición en que se encuentra don Juan?
   - (A) Acaba de ser herido en un combate
   - (B) Ha sufrido un naufragio en alta mar
   - (C) Ha sido herido en un duelo con un rival
   - (D) Está sin aliento por volver corriendo para escaparse

4. ¿Qué es lo primero que hace don Juan al volver en sí?
   - (A) pedir agua y comida
   - (B) galantear con una mujer
   - (C) preguntar por su criado
   - (D) recostarse para descansar

5. La expresión de don Juan "del infierno del mar / salgo a vuestro claro cielo" es un ejemplo de
   - (A) ironía
   - (B) humor
   - (C) metonimia
   - (D) antítesis

6. La frase "de amar a mar / [hay] una letra solamente" es un ejemplo de
   (A) polisíndeton
   (B) retruécano
   (C) conceptismo
   (D) oposición binaria

7. ¿Qué quiere decir Tisbea cuando le dice a don Juan "Mucho habláis cuando no habláis"?
   (A) Don Juan ha tragado mucha agua para hablar
   (B) Las palabras no son suficientes para expresar el amor
   (C) La está enamorando con sus ojos y sus acciones
   (D) A ella le gusta cuando don Juan calla.

8. El signo de "fuego" que emplea Tisbea es una metonimia para expresar
   (A) la pasión
   (B) la muerte
   (C) la destrucción
   (D) la desilusión

9. ¿Por qué repite Tisbea tantas veces "plega a Dios que no mintáis"?
   (A) No quiere seguir con don Juan.
   (B) Teme que don Juan la engañe.
   (C) Ella no miente al decir que ama a don Juan.
   (D) El pueblo la considera mentirosa.

10. ¿Cómo se muestra don Juan en esta escena?
    (A) cruel
    (B) encantador
    (C) preocupado
    (D) ridículo

Reflexiones AP® Edition, Instructor Resource Manual and Testing Program © Pearson Education, Inc.

Sección: 1.2.3 Poesía y prosa

Directions: *Read the following passage carefully. The passage is followed by questions or incomplete statements. Based on the information provided in the passage, select the BEST answer to each question from among the choices.*

Instrucciones: *Lee con cuidado el siguiente pasaje. El pasaje va seguido de varias preguntas u oraciones incompletas. Basándote en la información que se da en el pasaje, para cada pregunta elige la MEJOR respuesta de las opciones.*

Gustavo Adolfo Bécquer *Rima II* (7)Saeta que voladora

Saeta[1] que voladora
cruza, arrojada al azar,
y que no se sabe dónde
temblando se clavará;

hoja que del árbol seca
arrebata el vendaval,
sin que nadie acierte el surco
donde al polvo volverá;

gigante ola que el viento
riza y empuja en el mar,

y rueda y pasa, y se ignora
qué playa buscando va;

luz que en cercos temblorosos
brilla, próxima a expirar,
y que no se sabe de ellos
cuál el último será;

eso soy yo, que al acaso
cruzo el mundo sin pensar
de dónde vengo ni a dónde
mis pasos me llevarán.

1. ¿Cuál podría ser el tema de este poema?
   (A) La grandeza de la naturaleza
   (B) *Memento mori*
   (C) La incertidumbre de la vida
   (D) El temor del porvenir

2. ¿Qué figura retórica destaca en la tercera estrofa?
   (A) Polisíndeton
   (B) Hipérbaton
   (C) Sinestesia
   (D) Hipérbole

3. El último verso de cada estrofa termina con un sonido
   (A) llano
   (B) esdrújulo
   (C) sobresdrújulo
   (D) agudo

---

[1] flecha

Reflexiones AP® Edition, Instructor Resource Manual and Testing Program © Pearson Education, Inc.

4. ¿En cuál de los siguientes versos se logra mejor la aliteración?

   (A) "Saeta que voladora"

   (B) "donde al polvo volverá"

   (C) "brilla, próxima a expirar"

   (D) "cuál el último será"

5. En este poema predomina el verso

   (A) Endecasílabo

   (B) Octosílabo

   (C) Suelto

   (D) Alejandrino

6. ¿Qué recurso literario se observa en los dos primeros versos de cada estrofa?

   (A) Encabalgamiento

   (B) Onomatopeya

   (C) Personificación

   (D) Apóstrofe

7. Este poema probablemente se escribió durante

   (A) el Barroco

   (B) el Vanguardismo

   (C) el Romanticismo

   (D) el Medioevo

Sección: 1.2.3 Poesía y prosa

Directions: *Read the following passage carefully. The passage is followed by questions or incomplete statements. Based on the information provided in the passage, select the BEST answer to each question from among the choices.*

Instrucciones: *Lee con cuidado el siguiente pasaje. El pasaje va seguido de varias preguntas u oraciones incompletas. Basándote en la información que se da en el pasaje, para cada pregunta elige la MEJOR respuesta de las opciones.*

Gustavo Adolfo Bécquer *El rayo de Luna* (5)

Las calles de Soria eran entonces, y lo son todavía, estrechas, oscuras y tortuosas. Un silencio profundo reinaba en ellas, silencio que sólo interrumpían, ora el lejano ladrido de un perro; ora el rumor de una puerta al cerrarse, ora el relincho de un corcel que piafando hacía sonar la cadena que le sujetaba al pesebre en las subterráneas caballerizas.

Manrique, con el oído atento a estos rumores de la noche, que unas veces le parecían los pasos de alguna persona que había doblado ya la última esquina de un callejón desierto, otras, voces confusas de gentes que hablaban a sus espaldas y que a cada momento esperaba ver a su lado, anduvo algunas horas, corriendo al azar de un sitio a otro.

Por último, se detuvo al pie de un caserón de piedra, oscuro y antiquísimo, y al detenerse brillaron sus ojos con una indescriptible expresión de alegría. En una de las altas ventanas ojivales de aquel que pudiéramos llamar palacio, se veía un rayo de luz templada y suave que, pasando a través de unas ligeras colgaduras de seda color de rosa, se reflejaba en el negruzco y grieteado paredón de la casa de enfrente.

No cabe duda; aquí vive mi desconocida murmuró el joven en voz baja sin apartar un punto sus ojos de la ventana gótica; aquí vive. Ella entró por el postigo de San Saturio... por el postigo de San Saturio se viene a este barrio... en este barrio hay una casa, donde pasada la media noche aún hay gente en vela... ¿En vela? ¿Quién sino ella, que vuelve de sus nocturnas excursiones, puede estarlo a estas horas?... No hay más; ésta es su casa.

1. ¿Qué se puede inferir de la caminata nocturna de Manrique?

   (A) Está perdido y busca su casa.

   (B) Va en busca de una mujer a quien parece querer.

   (C) Es una búsqueda de algo intangible.

   (D) Busca el palacio de la reina.

2. El narrador describe a Soria como una ciudad

   (A) medieval

   (B) mercantil

   (C) atractiva

   (D) abandonada

Reflexiones AP® Edition, Instructor Resource Manual and Testing Program © Pearson Education, Inc.

3. Los sustantivos "ladrido", "rumor" y "relincho" podrían ser ejemplos de
   (A) eufonía
   (B) onomatopeya
   (C) sinestesia
   (D) metáfora

4. ¿Cómo reacciona Manrique en este pasaje?
   (A) Es pertinaz.
   (B) Tiene miedo.
   (C) Está deprimido.
   (D) No tiene esperanza.

5. ¿Cómo es el tono de este pasaje?
   (A) Satírico
   (B) Poético
   (C) Familiar
   (D) Alegre

Sección: 1.2.3 Poesía y prosa

Directions: Read the following passage carefully. The passage is followed by questions or incomplete statements. Based on the information provided in the passage, select the BEST answer to each question from among the choices.

Instrucciones: Lee con cuidado el siguiente pasaje. El pasaje va seguido de varias preguntas u oraciones incompletas. Basándote en la información que se da en el pasaje, para cada pregunta elige la MEJOR respuesta de las opciones.

Miguel de Cervantes I *Don Quijote de la Mancha. Capítulo II* (9)

Autores hay que dicen que la primera aventura que le avino fue la de Puerto Lápice; otros dicen que la de los molinos de viento; pero lo que yo he podido averiguar en este caso, y lo que he hallado escrito en los anales de la Mancha, es que él anduvo todo aquel día, y al anochecer, su rocín y él se hallaron cansados y muertos de hambre; y que mirando a todas partes, por ver si descubriría algún castillo o alguna majada de pastores donde recogerse, y adonde pudiese remediar su mucha necesidad, vió no lejos del camino por donde iba una venta, que fue como si viera una estrella, que a los portales, si no a los alcázares de su redención, le encaminaba. Dióse priesa a caminar, y llegó a ella a tiempo que anochecía. Estaban acaso a la puerta dos mujeres mozas, de estas que llaman del partido, las cuales iban a Sevilla con unos arrieros, que en la venta aquella noche acertaron a hacer jornada; y como a nuestro aventurero todo cuanto pensaba, veía o imaginaba, le parecía ser hecho y pasar al modo de lo que había leído, luego que vió la venta se le representó que era un castillo con sus cuatro torres y chapiteles de luciente plata, sin faltarle su puente levadizo y honda cava, con todos aquellos adherentes que semejantes castillos se pintan.

Fuese llegando a la venta (que a él le parecía castillo), y a poco trecho de ella detuvo las riendas a Rocinante, esperando que algún enano se pusiese entre las almenas a dar señal con alguna trompeta de que llegaba caballero al castillo; pero como vió que se tardaban, y que Rocinante se daba priesa por llegar a la caballeriza, se llegó a la puerta de la venta, y vió a las dos distraídas mozas que allí estaban, que a él le parecieron dos hermosas doncellas, o dos graciosas damas, que delante de la puerta del castillo se estaban solazando. En esto sucedió acaso que un porquero, que andaba recogiendo de unos rastrojos una manada de puercos (que sin perdón así se llaman), tocó un cuerno, a cuya señal ellos se recogen, y al instante se le representó a D. Quijote lo que deseaba, que era que algún enano hacía señal de su venida, y así con extraño contento llegó a la venta y a las damas, las cuales, como vieron venir un hombre de aquella suerte armado, y con lanza y adarga, llenas de miedo se iban a entrar en la venta; pero Don Quijote, coligiendo por su huida su miedo, alzándose la visera de papelón y descubriendo su seco y polvoso rostro, con gentil talante y voz reposada les dijo: non fuyan las vuestras mercedes, nin teman desaguisado alguno, ca a la órden de caballería que profeso non toca ni atañe facerle a ninguno, cuanto más a tan altas doncellas, como vuestras presencias demuestran.

1. Cervantes, el autor de este fragmento, escribió durante
   - (A) la Época Medieval
   - (B) el Modernismo
   - (C) el Romanticismo
   - (D) el Siglo de Oro

2. *Don Quijote* es una parodia de
   - (A) las novelas picarescas
   - (B) el teatro de lo absurdo
   - (C) las novelas de caballería
   - (D) la comedia del Siglo de Oro

3. Según este pasaje, ¿de qué se vale el autor implícito para escribir su historia?
   - (A) Su imaginación
   - (B) Datos históricos
   - (C) Lo que ha oído
   - (D) Sus propias aventuras

4. Al principio de este pasaje se observa un discurso
   - (A) metanovelístico
   - (B) histórico
   - (C) económico
   - (D) sociolingüístico

5. ¿Por qué convierte don Quijote una venta en castillo?
   - (A) Necesita un descanso.
   - (B) Es de noche y no ve bien.
   - (C) No es muy listo.
   - (D) Es viejo y se confunde.

6. Se puede suponer que las mujeres que encuentra don Quijote en la venta son
   - (A) de dudosa reputación
   - (B) las dueñas de la venta
   - (C) sirvientas
   - (D) damas de las cercanías

7. ¿Por qué huyen las mujeres de don Quijote?
   - (A) Quieren esconderse.
   - (B) Tienen temor.
   - (C) Les da mucha risa.
   - (D) Es hora de comer.

8. El porquero que toca su cuerno y el enano que toca su trompeta representan

   (A) una parodia

   (B) un desdoblamiento

   (C) un símbolo

   (D) una perífrasis

9. ¿Qué término caracteriza mejor el estilo del discurso de don Quijote al final del pasaje?

   (A) Barroco

   (B) Arcaico

   (C) Redundante

   (D) Realista

Sección: 1.2.3 Poesía y prosa

Directions: *Read the following passage carefully. The passage is followed by questions or incomplete statements. Based on the information provided in the passage, select the BEST answer to each question from among the choices.*

Instrucciones: *Lee con cuidado el siguiente pasaje. El pasaje va seguido de varias preguntas u oraciones incompletas. Basándote en la información que se da en el pasaje, para cada pregunta elige la MEJOR respuesta de las opciones.*

Miguel de Cervantes II *Don Quijote de la Mancha. Capítulo IX* (6)

Estando yo un día en el Alcaná de Toledo, llegó un muchacho a vender unos cartapacios y papeles viejos a un sedero; y como yo soy aficionado a leer aunque sean los papeles rotos de las calles, llevado desta mi natural inclinación tomé un cartapacio de los que el muchacho vendía y vile con caracteres que conocí ser arábigos. Y puesto que aunque los conocía no los sabía leer, anduve mirando si parecía por allí algún morisco aljamiado que los leyese, y no fue muy dificultoso hallar intérprete semejante, pues aunque le buscara de otra mejor y más antigua lengua le hallara. En fin, la suerte me deparó uno, que, diciéndole mi deseo y poniéndole el libro en las manos, le abrió por medio, y, leyendo un poco en él, se comenzó a reír.

Preguntéle yo que de qué se reía, y respondióme que de una cosa que tenía aquel libro escrita en el margen por anotación. Díjele que me la dijese, y él, sin dejar la risa, dijo:

—Está, como he dicho, aquí en el margen escrito esto: «Esta Dulcinea del Toboso, tantas veces en esta historia referida, dicen que tuvo la mejor mano para salar puercos que otra mujer de toda la Mancha».

Cuando yo oí decir «Dulcinea del Toboso», quedé atónito y suspenso, porque luego se me representó que aquellos cartapacios contenían la historia de don Quijote. Con esta imaginación, le di priesa que leyese el principio, y haciéndolo ansí, volviendo de improviso el arábigo en castellano, dijo que decía: Historia de don Quijote de la Mancha, escrita por Cide Hamete Benengeli, historiador arábigo. Mucha discreción fue menester para disimular el contento que recibí cuando llegó a mis oídos el título del libro, y, salteándosele al sedero, compré al muchacho todos los papeles y cartapacios por medio real; que si él tuviera discreción y supiera lo que yo los deseaba, bien se pudiera prometer y llevar más de seis reales de la compra. Apartéme luego con el morisco por el claustro de la iglesia mayor, y roguéle me volviese aquellos cartapacios [29], todos los que trataban de don Quijote, en lengua castellana, sin quitarles ni añadirles nada, ofreciéndole la paga que él quisiese. Contentóse con dos arrobas de pasas y dos fanegas de trigo, y prometió de traducirlos bien y fielmente y con mucha brevedad. Pero yo, por facilitar más el negocio y por no dejar de la mano tan buen hallazgo, le truje a mi casa, donde en poco más de mes y medio la tradujo toda, del mesmo modo que aquí se refiere.

1. Se puede suponer que el narrador de este pasaje es
    (A) Cide Hamete Benegeli
    (B) Don Quijote
    (C) Un narrador omnisciente
    (D) El autor implícito

2. ¿Qué indica que el narrador no tiene ningún problema en conseguir a un traductor?

   (A) Vive en una sociedad pluralista donde hay musulmanes
   (B) Casi toda la población española era bilingüe
   (C) En Toledo había una famosa Escuela de Traductores
   (D) El narrador pagó muchísimo por el servicio de traducción

3. La nota que el morisco lee al margen del manuscrito sobre Dulcinea acentúa el tema de

   (A) el platonismo
   (B) la relatividad
   (C) el amor
   (D) el humor

4. El hallazgo del manuscrito y su traducción representa un discurso sobre

   (A) la metaliteratura
   (B) las novelas de caballería
   (C) los moriscos
   (D) la universalidad

5. ¿Que hace el narrador para asegurarse de que el morisco traduzca toda la obra?

   (A) le paga muy bien
   (B) lo amenaza
   (C) lo lleva a su casa
   (D) le da de comer

6. ¿Qué opinión expresa el narrador sobre las compras de los cartapacios?

   (A) un precio justo
   (B) un robo
   (C) una ganga
   (D) un mal negocio

Sección: 1.2.3 Poesía y prosa

Directions: *Read the following passage carefully. The passage is followed by questions or incomplete statements. Based on the information provided in the passage, select the BEST answer to each question from among the choices.*

Instrucciones: *Lee con cuidado el siguiente pasaje. El pasaje va seguido de varias preguntas u oraciones incompletas. Basándote en la información que se da en el pasaje, para cada pregunta elige la MEJOR respuesta de las opciones.*

Leopoldo Alas (Clarín) *El dúo de la tos* (6)

«Se está aquí más solo que en la calle, tan solo como en el desierto», piensa un bulto, un hombre envuelto en un amplio abrigo de verano, que chupa un cigarro apoyándose con ambos codos en el hierro frío de un balcón, en el tercer piso. En la oscuridad de la noche nublada, el fuego del tabaco brilla en aquella altura como un gusano de luz. A veces aquella chispa triste se mueve, se amortigua, desaparece, vuelve a brillar.

«Algún viajero que fuma», piensa otro bulto, dos balcones más a la derecha, en el mismo piso. Y un pecho débil, de mujer, respira como suspirando, con un vago consuelo por el indeciso placer de aquella inesperada compañía en la soledad y la tristeza.

«Si me sintiera muy mal, de repente; si diera una voz para no morirme sola, ese que fuma ahí me oiría», sigue pensando la mujer, que aprieta contra un busto delicado, quebradizo, un chal de invierno, tupido, bien oliente.

«Hay un balcón por medio; luego es en el cuarto número 36. A la puerta, en el pasillo, esta madrugada, cuando tuve que levantarme a llamar a la camarera, que no oía el timbre, estaban unas botas de hombre elegante».

De repente desapareció una claridad lejana, produciendo el efecto de un relámpago que se nota después que pasó.

«Se ha apagado el foco del Puntal», piensa con cierta pena el bulto del 36, que se siente así más solo en la noche.

«Uno menos para velar; uno que se duerme.»

1. ¿Qué figura retórica explica mejor el signo "bulto"?
   - (A) Hipérbole
   - (B) Sinécdoque
   - (C) Alegoría
   - (d) Epífora

2. ¿Qué se puede intuir del tiempo climático de este relato?
   - (A) Hace frío.
   - (B) Está lloviendo.
   - (C) Hay relámpagos.
   - (D) Hay nubes.

3. La "chispa triste" del primer párrafo se refiere a

   (A) el faro del puerto

   (B) los truenos

   (C) el cigarro

   (D) las luces del pueblo

4. ¿Cuál es el tema principal de este relato?

   (A) El conformismo

   (B) La soledad

   (C) El amor

   (D) La muerte

5. ¿Cómo se describiría el tono del pasaje?

   (A) Triste

   (B) Trágico

   (C) Misterioso

   (D) Irónico

6. ¿Qué efecto le produce a la mujer la cercanía del hombre?

   (A) Alegría

   (B) Consuelo

   (C) Decepción

   (D) Indiferencia

Sección: 1.2.3 Poesía y prosa

Directions: *Read the following passage carefully. The passage is followed by questions or incomplete statements. Based on the information provided in the passage, select the BEST answer to each question from among the choices.*

Instrucciones: *Lee con cuidado el siguiente pasaje. El pasaje va seguido de varias preguntas u oraciones incompletas. Basándote en la información que se da en el pasaje, para cada pregunta elige la MEJOR respuesta de las opciones.*

Rubén Darío I *Amo, amas* (6)

Amar, amar, amar, amar siempre, con todo
el ser y con la tierra y con el cielo,
con lo claro del sol y lo oscuro del lodo:
amar por toda ciencia y amar por todo anhelo.

Y cuando la montaña de la vida
nos sea dura y larga y alta y llena de abismos,
amar la inmensidad que es de amor encendida
¡y arder en la fusión de nuestros pechos mismos!

1. ¿De qué trata este poema?
   (A) La tristeza de no tener amor
   (B) El placer de hacer el amor
   (C) El predominio del amor
   (D) El desengaño del amor

2. El polisíndeton se escucha en este poema por
   (A) la repetición de la conjunción "y"
   (B) varios versos que empiezan con el verbo "amar"
   (C) su brevedad
   (D) la forma de versificación

3. Los contrastes que se observan en la primera estrofa son ejemplos de
   (A) paralelismo
   (B) oposición
   (C) sinestesia
   (D) hipérbole

4. El tono de este poema es
   (A) positivo
   (B) desesperante
   (C) complaciente
   (D) chistoso

5. ¿Qué recurso poético se observa en los dos primeros versos de cada estrofa?

   (A) La hipérbole
   (B) La metonimia
   (C) El hipérbaton
   (D) El encabalgamiento

6. ¿Cómo es la rima de este poema?

   (A) Asonante
   (B) Aguda
   (C) Irregular
   (D) Consonante

Sección: 1.2.3 Poesía y prosa

Directions: *Read the following passage carefully. The passage is followed by questions or incomplete statements. Based on the information provided in the passage, select the BEST answer to each question from among the choices.*

Instrucciones: *Lee con cuidado el siguiente pasaje. El pasaje va seguido de varias preguntas u oraciones incompletas. Basándote en la información que se da en el pasaje, para cada pregunta elige la MEJOR respuesta de las opciones.*

Rubén Darío II *Melancolía* (8)

Hermano, tú que tienes la luz, dime la mía.
Soy como un ciego. Voy sin rumbo y ando a tientas.
Voy bajo tempestades y tormentas
ciego de ensueño y loco de armonía.

Ese es mi mal. Soñar. La poesía
es la camisa férrea de mil puntas crüentas
que llevo sobre el alma. Las espinas sangrientas
dejan caer las gotas de mi melancolía.

Y así voy, ciego y loco, por este mundo amargo;
a veces me parece que el camino es muy largo,
y a veces que es muy corto...

Y en este titubeo de aliento y agonía,
cargo lleno de penas lo que apenas soporto.
¿No oyes caer las gotas de mi melancolía?

1. Al dirigirse a un amigo al principio del poema, Darío emplea la figura de
   (A) la personificación
   (B) el apóstrofe
   (C) el *flash-back*
   (D) la sinécdoque

2. ¿Por qué se dirige a esa persona?
   (A) Lo respeta más que nadie.
   (B) Por sus experiencias en la vida
   (C) Para confesarse
   (D) Para que le aconseje

3. La "luz" del primer verso puede ser un símbolo de
   (A) la amargura
   (B) el poder
   (C) la sabiduría
   (D) la fe

4. ¿En qué estado de ánimo se encuentra el yo lírico en este poema?

   (A) Optimista

   (B) Desilusionado

   (C) Confuso

   (D) Agotado

5. El "mundo amargo" del verso 9 es un ejemplo de

   (A) aliteración

   (B) anáfora

   (C) polisíndeton

   (D) perífrasis

6. Al referirse a la poesía en los versos 5 y 6, el poeta introduce un

   (A) intertexto

   (B) discurso metapoético

   (C) juego de palabras

   (D) desdoblamiento de su ser poético

7. ¿Qué tipo de versificación mejor describe este poema?

   (A) Soneto

   (B) Verso libre

   (C) Redondillas

   (D) Arte menor

8. Las muchas oposiciones del poema enfatizan el tema de la

   (A) incertidumbre

   (B) agonía

   (C) sabiduría

   (D) felicidad

Sección: 1.2.3 Poesía y prosa

Directions: *Read the following passage carefully. The passage is followed by questions or incomplete statements. Based on the information provided in the passage, select the BEST answer to each question from among the choices.*

Instrucciones: *Lee con cuidado el siguiente pasaje. El pasaje va seguido de varias preguntas u oraciones incompletas. Basándote en la información que se da en el pasaje, para cada pregunta elige la MEJOR respuesta de las opciones.*

Carlos Fuentes *Chac Mool* (6)

The passage from Fuentes can be found in *Reflexiones*, pp. 528–529, ll. 24–49. For an advanced Internet search, the first line is "Hoy fui a arreglar lo de mi pensión".

1. El narrador, Filiberto, va a un café para

    (A) celebrar

    (B) encontrarse con amigos íntimos

    (C) recordar su juventud

    (D) leer

2. ¿Qué descripción mejor define a Filiberto?

    (A) Un hombre de clase acomodada que está acostumbrado a darse todos los lujos

    (B) Una persona humilde que, por su mucho trabajo, ha conseguido salir adelante

    (C) Un hombre que no ha logrado el éxito en la vida que su futuro de joven prometía

    (D) Una persona arrogante que mira con desdén a los compañeros que no llegaron a nada

3. ¿Por qué se esconde el narrador detrás de sus expedientes en el café?

    (A) Tiene mucho trabajo que terminar antes de jubilarse.

    (B) Le da vergüenza encontrarse con sus antiguos amigos.

    (C) Tiene muchos amigos allí y todos lo quieren saludar.

    (D) Está sumamente angustiado por la jubilación forzada.

4. ¿Qué opinión social tenía Filiberto cuando era estudiante?

    (A) Creía en la igualdad social.

    (B) Se jactaba de su extracción de clase alta.

    (C) Era racista y reaccionario.

    (D) No apoyaba el gobierno de la Revolución Mexicana.

5. El signo del rompecabezas podría ser un símbolo de
    (A) la alegría de la niñez
    (B) una vida desarreglada
    (C) un pasado juvenil de desilusión
    (D) la confusión en que se encuentra

6. ¿Qué representan los "dieciocho agujeros del Country Club"?
    (A) El afán por el deporte
    (B) El éxito económico
    (C) La edad avanzada de Filiberto
    (D) La influencia de la lengua castellana

Reflexiones AP® Edition, Instructor Resource Manual and Testing Program © Pearson Education, Inc.

Sección: 1.2.3 Poesía y prosa

Directions: *Read the following passage carefully. The passage is followed by questions or incomplete statements. Based on the information provided in the passage, select the BEST answer to each question from among the choices.*

Instrucciones: *Lee con cuidado el siguiente pasaje. El pasaje va seguido de varias preguntas u oraciones incompletas. Basándote en la información que se da en el pasaje, para cada pregunta elige la MEJOR respuesta de las opciones.*

Gabriel García Márquez *La siesta del martes* (8)

The passage from García Márquez can be found in *Reflexiones*, pp. 408–409, ll. 116–147. For an advanced Internet search, the first line is "Todo había empezado el lunes de la semana anterior".

1. De este fragmento se puede intuir que el estilo de la obra es
    (A) realismo mágico
    (B) surrealista
    (C) realista
    (D) romántico

2. ¿Cómo se puede caracterizar el narrador de esta obra?
    (A) Es completamente objetivo.
    (B) Es un personaje de la obra.
    (C) No es fidedigno.
    (D) Está mal informado.

3. La madre y la hija han ido a la casa del cura para
    (A) confesarse
    (B) pedir perdón
    (C) explicar lo que había pasado
    (D) buscar unas llaves

4. ¿Qué ironía contiene la puntería de Rebeca al matar a Carlos Centeno?
    (A) No intentaba matarlo.
    (B) Jamás había manejado un arma.
    (C) Era una viuda rica.
    (D) Creía que el ladrón iba armado.

5. ¿Cómo se puede saber que el ladrón era muy pobre?
    (A) Por la ropa que llevaba
    (B) Porque lo dijo el cura
    (C) Porque robaba
    (D) Por la voz narrativa

6. Las palabras que enuncia Carlos al morirse ("Ay, mi madre") podrían ser seguidas por

   (A) Ven a ayudarme.
   (B) Ten cuidado que la mujer tiene revólver.
   (C) ¿Qué será de ella sin mi ayuda?
   (D) ¿Por qué me mandaste aquí?

7. ¿Cuál es el adjetivo más apropiado para describir a la madre?

   (A) Emocionada
   (B) Nerviosa
   (C) Resoluta
   (D) Atrevida

8. ¿A quién le echa la culpa el cura por lo que le ha pasado a Carlos?

   (A) A la sociedad
   (B) A la pobreza
   (C) A la madre
   (D) A Rebeca

Reflexiones AP® Edition, Instructor Resource Manual and Testing Program © Pearson Education, Inc.

Sección: 1.2.3 Poesía y prosa

Directions: *Read the following passage carefully. The passage is followed by questions or incomplete statements. Based on the information provided in the passage, select the BEST answer to each question from among the choices.*

Instrucciones: *Lee con cuidado el siguiente pasaje. El pasaje va seguido de varias preguntas u oraciones incompletas. Basándote en la información que se da en el pasaje, para cada pregunta elige la MEJOR respuesta de las opciones.*

Luis de Góngora *Mientras por competir* (8)

Mientras por competir con tu cabello,
oro bruñido al sol relumbra en vano;
mientras con menosprecio en medio el llano
mira tu blanca frente el lilio bello;

mientras a cada labio, por cogello.   5
siguen más ojos que al clavel temprano;
y mientras triunfa con desdén lozano
del luciente cristal tu gentil cuello:

goza cuello, cabello, labio y frente,
antes que lo que fue en tu edad dorada   10
oro, lilio, clavel, cristal luciente,

no sólo en plata o vïola troncada
se vuelva, mas tú y ello juntamente
en tierra, en humo, en polvo, en sombra, en nada.

1. ¿Cuál es la forma métrica de este poema?
    (A) La silva
    (B) El soneto
    (C) La redondilla
    (D) El alejandrino

2. ¿Qué técnica literaria contribuye más a que los primeros dos cuartetos sean difíciles de entender?
    (A) El simbolismo
    (B) El hipérbaton
    (C) La ambigüedad
    (D) El desdoblamiento

3. ¿Qué intenta decir el poeta en los dos primeros versos?
    (A) El oro brilla más que el sol.
    (B) El sol no puede competir con el cabello rubio.
    (C) El cabello relumbra bajo el sol.
    (D) La vanidad de la mujer intenta superar el oro y el sol.

4. ¿Qué técnica literaria predomina en el primer terceto?

 (A) La metonimia

 (B) El símil

 (C) El simbolismo

 (D) La enumeración

5. ¿Cuál de los siguientes signos indican la juventud de la mujer?

 (A) El clavel temprano

 (B) El oro bruñido

 (C) Vïola troncada

 (D) El lilio bello

6. ¿Cuál es el tema de este soneto?

 (A) *Memento mori*

 (B) *Beatus Ille*

 (C) *Carpe diem*

 (D) *In deus gratia*

7. ¿Qué técnica se emplea en el último verso del poema?

 (A) El encabalgamiento

 (B) La gradación

 (C) El paralelismo

 (D) La antítesis

8. ¿En qué momento cultural se produjo este poema?

 (A) La Edad Media

 (B) El Barroco

 (C) La Generación del 98

 (D) El Modernismo

Sección: 1.2.3 Poesía y prosa

Directions: *Read the following passage carefully. The passage is followed by questions or incomplete statements. Based on the information provided in the passage, select the BEST answer to each question from among the choices.*

Instrucciones: *Lee con cuidado el siguiente pasaje. El pasaje va seguido de varias preguntas u oraciones incompletas. Basándote en la información que se da en el pasaje, para cada pregunta elige la MEJOR respuesta de las opciones.*

José María Heredia *En una tempestad* (8)

Huracán, huracán, venir te siento
y en tu soplo abrasado
respiro entusiasmado
del Señor de los aires el aliento.
En las alas del viento suspendido   5
vedle rodar por el espacio inmenso,
silencioso, tremendo, irresistible
en su curso veloz. La tierra en calma,
siniestra, misteriosa,
contempla con pavor su faz terrible.   10
¿Al toro no miráis? El suelo escarba
de insoportable ardor sus pies heridos,
la frente poderosa levantando,
y en la hinchada nariz fuego aspirando
llama la tempestad con sus bramidos!   15
¡Qué nubes! ¡qué furor! El sol temblando
vela en triste vapor su faz gloriosa,
y su disco nublado solo vierte
luz fúnebre y sombría,
que no es noche ni día   20
¡pavoroso color, velos de muerte!

1. El huracán, palabra de origen taíno, probablemente indica que este poema se sitúa en
   (A) España
   (B) Argentina
   (C) Cuba
   (D) Ecuador

2. ¿Qué recurso poético emplea el yo lírico en los versos 1 a 4?
   (A) Apóstrofe
   (B) Antítesis
   (C) Anáfora
   (D) Asonancia

3. El hipérbaton de los versos 3 y 4 probablemente quiere decir que

   (A) el viento sopla junto a la respiración de Dios

   (B) a Dios le entusiasma poder crear el aire para que todos respiren

   (C) al yo lírico le complace respirar el mismo aire que Dios

   (D) el aire que sopla aleja al yo lírico del Señor

4. Las comas del verso 7, que hacen que la lectura se detenga tres veces, pudiera representar

   (A) ráfagas de viento

   (B) la paz antes de una tempestad

   (C) rayos y centellas

   (D) el final de la tormenta

5. El "fuego" de la nariz del toro y sus "bramidos" son signos que se refieren a

   (A) la corrida de toros

   (B) el estado de ánimo del yo lírico

   (C) la puesta del sol

   (D) los truenos de la tempestad

6. ¿Cuál de los siguientes signos es el mejor ejemplo de onomatopeya?

   (A) Nariz

   (B) Faz

   (C) Bramido

   (D) Fuego

7. Los versos 8 a 10 contienen

   (A) personificación

   (B) ironía

   (C) hipérbole

   (D) hipérbaton

8. Los últimos versos del poema (16 al 21) crean una imagen de

   (A) un entierro

   (B) un día lúgubre

   (C) un sol brillante

   (D) unos truenos

Sección: 1.2.3 Poesía y prosa

Directions: *Read the following passage carefully. The passage is followed by questions or incomplete statements. Based on the information provided in the passage, select the BEST answer to each question from among the choices.*

Instrucciones: *Lee con cuidado el siguiente pasaje. El pasaje va seguido de varias preguntas u oraciones incompletas. Basándote en la información que se da en el pasaje, para cada pregunta elige la MEJOR respuesta de las opciones.*

El Lazarillo de Tormes (8)

Pues sepa Vuestra Merced ante todas cosas que a mí llaman Lázaro de Tormes, hijo de Tomé González y de Antona Pérez, naturales de Tejares, aldea de Salamanca. Mi nacimiento fue dentro del río Tormes, por la cual causa tomé el sobrenombre, y fue desta manera. Mi padre, que Dios perdone, tenía cargo de proveer una molienda de una aceña, que está ribera de aquel río, en la cual fue molinero más de quince años; y estando mi madre una noche en la aceña, preñada de mí, tomóle el parto y parióme allí: de manera que con verdad puedo decir nacido en el río. Pues siendo yo niño de ocho años, achacaron a mi padre ciertas sangrías mal hechas en los costales de los que allí a moler venían, por lo que fue preso, y confesó y no negó y padeció persecución por justicia. Espero en Dios que está en la Gloria, pues el Evangelio los llama bienaventurados. En este tiempo se hizo cierta armada contra moros, entre los cuales fue mi padre, que a la sazón estaba desterrado por el desastre ya dicho, con cargo de acemilero de un caballero que allá fue, y con su señor, como leal criado, feneció su vida.

Mi viuda madre, como sin marido y sin abrigo se viese, determinó arrimarse a los buenos por ser uno dellos, y vínose a vivir a la ciudad, y alquiló una casilla, y metióse a guisar de comer a ciertos estudiantes, y lavaba la ropa a ciertos mozos de caballos del Comendador de la Magdalena, de manera que fue frecuentando las caballerizas. Ella y un hombre moreno de aquellos que las bestias curaban, vinieron en conocimiento. Éste algunas veces se venía a nuestra casa, y se iba a la mañana; otras veces de día llegaba a la puerta, en achaque de comprar huevos, y entrábase en casa. Yo al principio de su entrada, pesábame con él y habíale miedo, viendo el color y mal gesto que tenía; mas de que vi que con su venida mejoraba el comer, fuile queriendo bien, porque siempre traía pan, pedazos de carne, y en el invierno leños, a que nos calentábamos. De manera que, continuando con la posada y conversación, mi madre vino a darme un negrito muy bonito, el cual yo brincaba y ayudaba a calentar. Y acuérdome que, estando el negro de mi padre trebejando con el mozuelo, como el niño veía a mi madre y a mí blancos, y a él no, huía dél con miedo para mi madre, y señalando con el dedo decía: "¡Madre, coco!".

1. ¿Qué tipo de narrador se encuentra en este fragmento del *Lazarillo*?
   (A) Personaje
   (B) Fidedigno
   (C) Omnisciente
   (D) Objetivo

Reflexiones AP® Edition, Instructor Resource Manual and Testing Program © Pearson Education, Inc.

2. ¿A quién dirige el narrador su mensaje?

   (A) A nosotros, su público lector

   (B) A sus padres

   (C) A un miembro de las clases altas

   (D) A sí mismo

3. Las sangrías que hizo el padre a los sacos de harina es una metonimia que hace entender que el padre

   (A) estaba muy enfermo

   (B) era muy respetado en su oficio

   (C) robaba a sus clientes

   (D) se marchaba a la guerra

4. ¿Qué hizo la madre de Lazarillo después de morir su esposo?

   (A) Siguió de molinera.

   (B) Se volvió a casar en poco tiempo.

   (C) Cuidaba caballos.

   (D) Cocinaba y lavaba para otros.

5. Las relaciones entre la madre de Lazarillo y el hombre moreno introduce un tema de

   (A) tensiones entre parejas

   (B) pluralismo étnico

   (C) historia política

   (D) persecución por justicia

6. ¿Por qué le tiene miedo Lazarillo al moreno al principio?

   (A) Le pega.

   (B) Es diferente.

   (C) Viene y va.

   (D) No es su padre.

7. ¿Por qué va Lazarillo encariñándose con la pareja de su madre?

   (A) Le da un hermanito.

   (B) Juega con él.

   (C) Trae comida a la casa.

   (D) Le enseña a leer.

8. ¿Qué recurso literario se emplea al final de la selección cuando el hermanito de Lazarillo huye con miedo del padre?

   (A) La ironía

   (B) La parodia

   (C) El *Leitmotiv*

   (D) La caricatura

Reflexiones AP® Edition, Instructor Resource Manual and Testing Program © Pearson Education, Inc.

Sección: 1.2.3 Poesía y prosa

Directions: *Read the following passage carefully. The passage is followed by questions or incomplete statements. Based on the information provided in the passage, select the BEST answer to each question from among the choices.*

Instrucciones: *Lee con cuidado el siguiente pasaje. El pasaje va seguido de varias preguntas u oraciones incompletas. Basándote en la información que se da en el pasaje, para cada pregunta elige la MEJOR respuesta de las opciones.*

José Martí *Nuestra América* (5)

En pueblos compuestos de elementos cultos e incultos, los incultos gobernarán, por su hábito de agredir y resolver las dudas con su mano, allí donde los cultos no aprendan el arte del gobierno. La masa inculta es perezosa, y tímida en las cosas de la inteligencia, y quiere que la gobiernen bien; pero si el gobierno le lastima, se lo sacude y gobierna ella. ¿Cómo han de salir de las universidades los gobernantes, si no hay universidad en América donde se enseñe lo rudimentario del arte del gobierno, que es el análisis de los elementos peculiares de los pueblos de América? A adivinar salen los jóvenes al mundo, con antiparras yanquis o francesas, y aspiran a dirigir un pueblo que no conocen. En la carrera política habría de negarse la entrada a los que desconocen los rudimentos de la política. El premio de los certámenes no ha de ser para la mejor oda, sino para el mejor estudio de los factores del país en que se vive. En el periódico, en la cátedra, en la academia, debe llevarse adelante el estudio de los factores reales del país. Conocerlos basta, sin vendas ni ambages; porque el que pone de lado, por voluntad u olvido, una parte de la verdad, cae a la larga por la verdad que le faltó, que crece en la inteligencia, y derriba lo que se levanta sin ella. Resolver el problema después de conocer sus elementos, es más fácil que resolver el problema sin conocerlos. Viene el hombre natural, indignado y fuerte, y derriba la justicia acumulada de los libros, porque no se la administra en acuerdo con las necesidades patentes del país. Conocer es resolver. Conocer el país, y gobernarlo conforme al conocimiento, es el único modo de librarlo de tiranías. La universidad europea ha de ceder a la universidad americana. La historia de América, de los incas acá, ha de enseñarse al dedillo, aunque no se enseñe la de los arcontes de Grecia. Nuestra Grecia es preferible a la Grecia que no es nuestra. Nos es más necesaria. Los políticos nacionales han de reemplazar a los políticos exóticos. Injértece en nuestras repúblicas el mundo; pero el tronco ha de ser el de nuestras repúblicas. Y calle el pedante vencido; que no hay patria en que pueda tener el hombre más orgullo que en nuestras dolorosas repúblicas americanas.

1. Según Martí, ¿qué hacen las personas incultas cuando no tienen un buen gobierno?
   (A) Eligen un gobierno mejor.
   (B) Se quejan pero no hacen nada.
   (C) Toman ellos el poder.
   (D) Se exilian del país.

2. ¿De qué se queja Martí de las universidades de América Latina?

   (A) La mayoría de los estudiantes van a España o Francia para estudiar.

   (B) No hay profesores bien preparados.

   (C) No enseñan ciencias políticas.

   (D) Sólo enseñan cosas de Hispanoamérica.

3. ¿Qué dice Martí sobre el estudio exclusivo de la historia europea?

   (A) La gente culta abandona Hispanoamérica para ir a vivir en Europa.

   (B) Se desconocen los problemas de Hispanoamérica.

   (C) Es imprescindible conocerla para gobernar Hispanoamérica.

   (D) Es mucho más importante que la historia de los incas.

4. Cuando Martí se refiere a los "políticos exóticos" se refiere a

   (A) comunistas

   (B) dictadores

   (C) europeizantes

   (D) yanquis

5. ¿Qué descripción define mejor el estilo de este ensayo?

   (A) Arduo y poético

   (B) Desatinado e indirecto

   (C) Prosaico y pedante

   (D) Sobrio y desenfocado

Reflexiones AP® Edition, Instructor Resource Manual and Testing Program © Pearson Education, Inc.

Sección: 1.2.3 Poesía y prosa

Directions: *Read the following passage carefully. The passage is followed by questions or incomplete statements. Based on the information provided in the passage, select the BEST answer to each question from among the choices.*

Instrucciones: *Lee con cuidado el siguiente pasaje. El pasaje va seguido de varias preguntas u oraciones incompletas. Basándote en la información que se da en el pasaje, para cada pregunta elige la MEJOR respuesta de las opciones.*

Amado Nervo *A Leonor* (5)

Tu cabellera es negra como el ala
del misterio; tan negra como un lóbrego
jamás, como un adiós, como un «¡quién sabe!»
Pero hay algo más negro aún: ¡tus ojos!

Tus ojos son dos magos pensativos,
dos esfinges que duermen en la sombra,
dos enigmas muy bellos... Pero hay algo,
pero hay algo más bello aún: tu boca.

Tu boca, ¡oh sí!; tu boca, hecha divinamente
para el amor, para la cálida
comunión del amor, tu boca joven;
pero hay algo mejor aún: ¡tu alma!

Tu alma recogida, silenciosa,
de piedades tan hondas como el piélago,
de ternuras tan hondas...
Pero hay algo,
pero hay algo más hondo aún: ¡tu ensueño!

1. ¿Qué frase caracteriza mejor la intención principal de este poema?
   (A) Describir las facciones de una mujer
   (B) Elogiar la belleza de las mujeres
   (C) Proclamar su amor por esta mujer
   (D) Revelar los misterios intangibles de la mujer

2. La anadiplosis que se observa al final de cada estrofa y el comienzo de la próxima es una figura de
   (A) versificación
   (B) repetición
   (C) musicalidad
   (D) contradicción

3. Entre la primera y segunda estrofas se nota el paso de

    (A) versos octosílabos a endecasílabos
    (B) símil a metáfora
    (C) color negro a color azul
    (D) lo concreto a lo intangible

4. ¿Qué figura se observa en la última estrofa del poema?

    (A) La anáfora
    (B) La oposición
    (C) El eufemismo
    (D) La sinestesia

5. ¿Qué función tiene la repetición del adjetivo "hondo" en la última estrofa?

    (A) Contribuye a crear un tono ligero.
    (B) Crea un efecto onomatopéyico.
    (C) Forma parte del tema religioso.
    (D) Produce un sentido de desesperación.

Sección: 1.2.3 Poesía y prosa

Directions: *Read the following passage carefully. The passage is followed by questions or incomplete statements. Based on the information provided in the passage, select the BEST answer to each question from among the choices.*

Instrucciones: *Lee con cuidado el siguiente pasaje. El pasaje va seguido de varias preguntas u oraciones incompletas. Basándote en la información que se da en el pasaje, para cada pregunta elige la MEJOR respuesta de las opciones.*

Emilia Pardo Bazán *La cana* (5)

Mi tía Elodia me había escrito cariñosamente: «Vente a pasar la Navidad conmigo. Te daré golosinas de las que te gustan». Y obteniendo de mi padre el permiso, y algo más importante aún, el dinero para el corto viaje, me trasladé a Estela, por la diligencia, y, a boca de noche, me apeaba en la plazoleta rodeada de vetustos edificios, donde abre su irregular puerta cochera el parador.

Al pronto, pensé en dirigirme a la morada de mi tía, en demanda de hospedaje; después, por uno de esos impulsos que nadie se toma el trabajo de razonar tan insignificante creemos su causa, decidí no aparecer hasta el día siguiente. A tales horas, la casa de mi tía se me representaba a modo de coracha oscura y aburrida. De antemano veía yo la escena. Saldría a abrir la única criada, chancleteando y amparando con la mano la luz de una candileja. Se pondría muy apurada, en vista de tener que aumentar a la cena un plato de carne: mi tía Elodia suponía que los muchachos solteros son animales carnívoros. Y me interpelaría: ¿por qué no has avisado, vamos a ver? Rechinarían y tintinearían las llaves: había que sacar sábanas para mí... Y, sobre todo, ¡era una noche libre! A un muchacho, por formal que sea, que viene del campo, de un pazo solariego, donde se ha pasado el otoño solo con sus papás, la libertad le atrae.

Dejé en el parador la maletilla, y envuelto en mi capa, porque apretaba el frío, me di a vagar por las calles, encontrando en ello especial placer. Bajo los primeros antiguos soportales, tropecé con un compañero de aula, uno de esos a quienes llamamos amigos porque anduvimos con ellos en jaranas y bromas, aunque se diferencien de nosotros en carácter y educación. La misma razón que me hacía encontrar divertido un paseo por calles heladas y solitarias, la larga temporada de vida rústica me movió acoger a Laureano Cabrera con expansión realmente amistosa. Le referí el objeto de mi viaje, y le invité a cenar. Hecho ya el convenio, reparé, a la luz de un farol, en el mal aspecto y derrotadas trazas de mi amigo. El vicio había degradado su cuerpo, y la miseria se revelaba en su ropa desechable. Parecía un mendigo. Al moverse, exhalaba un olor pronunciado a tabaco frío, sudor y urea. Confirmando mi observación, me rogó en frases angustiosas que le prestase cierta suma. La necesitaba, urgentemente, aquella misma noche. Si no la tenía, era capaz de pegarse un tiro en los sesos.

1. ¿Por qué fue el narrador de este relato a Estela?
    (A) Buscaba una aventura.
    (B) Quería reunirse con un antiguo amigo.
    (C) Fue invitado por su tía.
    (D) Lo mandó su padre.

Reflexiones AP® Edition, Instructor Resource Manual and Testing Program © Pearson Education, Inc.

2. ¿Por qué le atrae al narrador la idea de visitar Estela?

   (A) Es donde viven sus parientes.

   (B) Asistió a la escuela allí.

   (C) Se encuentra solitario donde reside.

   (D) Es una ciudad con muchas diversiones.

3. ¿Por qué se hospeda en un parador?

   (A) No tiene dinero para ir a un hotel más caro.

   (B) Tiene una cita secreta con alguien allí.

   (C) Está muy cansado y no puede seguir su viaje.

   (D) No quiere molestar a su anfitriona tan tarde.

4. Por el trasfondo ambiental de este relato, ¿cuándo tiene lugar probablemente?

   (A) En la actualidad

   (B) En la Edad Media

   (C) En el siglo XIX

   (D) En el Renacimiento

5. ¿Qué adjetivo describe mejor al amigo que encuentra por la calle?

   (A) Hambriento

   (B) Desesperado

   (C) Honesto

   (D) Pulcro

Reflexiones AP® Edition, Instructor Resource Manual and Testing Program © Pearson Education, Inc.

Sección: 1.2.3 Poesía y prosa

Directions: *Read the following passage carefully. The passage is followed by questions or incomplete statements. Based on the information provided in the passage, select the BEST answer to each question from among the choices.*

Instrucciones: *Lee con cuidado el siguiente pasaje. El pasaje va seguido de varias preguntas u oraciones incompletas. Basándote en la información que se da en el pasaje, para cada pregunta elige la MEJOR respuesta de las opciones.*

Romance del rey moro que perdió Alhama (9)

Paseábase el rey moro
Por la ciudad de Granada,
desde la puerta de Elvira
hasta la de Vivarrambla.
—¡Ay de mi Alhama!
Cartas le fueron venidas
que Alhama era ganada;
las cartas echó en el fuego
y al mensajero matara.
—¡Ay de mi Alhama!
Descabalga de una mula
y en un caballo cabalga,
por el Zacatín arriba
subido se había al Alhambra.
—¡Ay de mi Alhama!
Como en el Alhambra estuvo
al mismo punto mandaba
que se toqen sus trompetas
sus añafiles de plata.
—¡Ay de mi Alhama!
Y que las cajas de guerra
apriesa toquen al arma,
porque lo oigan sus moros,
los de la Vega y Granada.
—¡Ay de mi Alhama!
Los moros, que el son oyeron,
que al sangriento Marte llama,

uno a uno y dos a dos
juntado se ha gran batalla.
—¡Ay de mi Alhama!
Allí habló un moro viejo,
de esta manera hablara:
—¿Para qué nos llamas, rey,
para qué es esta llamada?
—¡Ay de mi Alhama!
—Habéis de saber, amigos,
una nueva desdichada,
que cristianos de braveza
ya nos han ganado Alhama.
—¡Ay de mi Alhama!
Allí habló un alfaquí
de barba crecida y cana.
—Bien se te emplea, buen rey,
buen rey, bien se te empleara.
—¡Ay de mi Alhama!
Mataste los Bencerrajes,
que eran la flor de Granada;
cogiste los tornadizos
de Córdoba la nombrada.
—¡Ay de mi Alhama!
Por eso mereces, rey,
una pena muy doblada:
que te pierdas tú y el reino
y aquí se pierda Granada.

1. ¿Cómo puede caracterizarse en su mayoría los versos de este romance?

    (A) Regulares con rima consonante

    (B) Irregulares con rima consonante

    (C) Endecasílabos con rima asonante

    (D) Octosílabos con rima asonante

2. Una característica típica del Romancero en general que se observa en este poema es
   - (A) la polifonía
   - (B) la ornamentación
   - (C) el tono ligero
   - (D) la cacofonía

3. ¿Qué hace el rey al comienzo del romance?
   - (A) Sale de misa de Villarrambla.
   - (B) Va a reunirse con sus consejeros.
   - (C) Anda por la ciudad.
   - (D) Se cae de su mula.

4. ¿Por qué vuelve con tanta prisa a la Alhambra?
   - (A) Mató al mensajero.
   - (B) Oyó las trompetas que lo llamaban.
   - (C) Volvió para prepararse para la guerra.
   - (D) Llegaba tarde a un concejo con el pueblo.

5. ¿Dónde se encuentra el palacio de la Alhambra?
   - (A) Córdoba
   - (B) Granada
   - (C) Sevilla
   - (D) Marruecos

6. ¿En qué guerra tiene lugar este romance?
   - (A) La Contrarreforma
   - (B) La Guerra Civil Española
   - (C) La Reconquista
   - (D) La Guerra de Independencia

7. De las palabras del alfaquí se puede inferir que
   - (A) el pueblo no quiere más guerra
   - (B) es hora de rendirse a los cristianos
   - (C) hay mucha miseria en la tierra
   - (D) el rey ha tomado malas decisiones

8. La repetición de "Ay de mi Alhama" funciona como
   - (A) anáfora
   - (B) apóstrofe
   - (C) estribillo
   - (D) elipsis

9. ¿Qué realidad social de la Edad Media se puede observar en este romance?
   - (A) La vida difícil de los soldados
   - (B) La intensa religiosidad del pueblo
   - (C) Las tensiones entre cristianos y musulmanes
   - (D) Los poderes absolutos de la monarquía

Sección: 1.2.3 Poesía y prosa

Directions: *Read the following passage carefully. The passage is followed by questions or incomplete statements. Based on the information provided in the passage, select the BEST answer to each question from among the choices.*

Instrucciones: *Lee con cuidado el siguiente pasaje. El pasaje va seguido de varias preguntas u oraciones incompletas. Basándote en la información que se da en el pasaje, para cada pregunta elige la MEJOR respuesta de las opciones.*

Juan Rulfo *No oyes ladrar a los perros* (6)

The passage from Rulfo can be found in *Reflexiones*, p. 386, ll. 96–111. For an advanced Internet search, the first line is "Sintió que el hombre aquel que llevaba sobre sus hombros".

1. ¿Qué comentario describe mejor el punto de vista narrativo de este relato?
    (A) Narrador personaje que presenta una versión subjetiva
    (B) Narrador omnisciente que lo cuenta todo
    (C) Narrador objetivo, pero desde la perspectiva del padre
    (D) Narrador no fidedigno

2. ¿Cuál de las siguientes opciones NO es posible respecto a las "gruesas gotas" que le caen de Ignacio?
    (A) Sangre
    (B) Lágrimas
    (C) Lluvia
    (D) Sudor

3. ¿Por qué reprende el padre a su hijo?
    (A) Asesinó a un amigo.
    (B) Andaba con malas compañías.
    (C) Tenía que llevarlo en hombros.
    (D) Recordaba demasiado a su madre.

4. Se puede inferir que Ignacio fue criado en una familia
    (A) estricta
    (B) acomodada
    (C) amorosa
    (D) religiosa

5. ¿Qué cambia entre el principio del cuento y la última oración?

   (A) El enojo del padre aumenta.

   (B) El padre va sintiendo más pena por su hijo.

   (C) El padre cambia de registro verbal al hablar con su hijo.

   (D) El hijo ha perdonado a su padre.

6. El estilo de este cuento es

   (A) dramático

   (B) florido

   (C) enrevesado

   (D) poético

Sección: 1.2.3 Poesía y prosa

Directions: *Read the following passage carefully. The passage is followed by questions or incomplete statements. Based on the information provided in the passage, select the BEST answer to each question from among the choices.*

Instrucciones: *Lee con cuidado el siguiente pasaje. El pasaje va seguido de varias preguntas u oraciones incompletas. Basándote en la información que se da en el pasaje, para cada pregunta elige la MEJOR respuesta de las opciones.*

Sor Juana Inés de la Cruz *Hombres necios que acusáis* (7)

1. Hombres necios que acusáis
   a la mujer sin razón,
   sin ver que sois la ocasión
   de lo mismo que culpáis:

2. si con ansia sin igual
   solicitáis su desdén,
   ¿por qué queréis que obren bien
   si las incitáis al mal?
   . . . .

3. ¿Qué humor puede ser más raro
   que el que falta de consejo,
   él mismo empaña el espejo
   y siente que no esté claro?

4. Con el favor y el desdén
   tenéis condición igual,
   quejándoos, si os tratan mal,
   burlándoos, si os quieren bien
   . . . .

5. ¿Cuál mayor culpa ha tenido
   en una pasión errada,
   la que cae de rogada
   o el que ruega de caído?

6. ¿O cuál es más de culpar,
   aunque cualquiera mal haga:
   la que peca por la paga
   o el que paga por pecar?

1. ¿Por qué se puede decir que este es un poema feminista?
   (A) Lucha por la igualdad entre hombres y mujeres.
   (B) Se queja de los hombres y cómo tratan a las mujeres injustamente.
   (C) Pide que las mujeres se unan para manifestar.
   (D) Aboga por la independencia de la mujer.

2. ¿Qué costumbre moral del Siglo de Oro se ve reflejada claramente en este poema?
   (A) La superioridad social de los hombres
   (B) La necesidad de la mujer de mantener la virginidad hasta el matrimonio
   (C) Las presiones sobre los hombres de hacer el papel de un "don Juan"
   (D) La suma protección de las mujeres por sus padres en relaciones con hombres

3. ¿Cuál es la versificación de este poema?
   (A) Verso suelto
   (B) Silva
   (C) Redondilla
   (D) Romance

4. En la estrofa 3 se ve un ejemplo de
    (A) ironía
    (B) prosopopeya
    (C) oposición
    (D) aliteración

5. En la estrofa 4 se ve un ejemplo de
    (A) oposición binaria
    (B) onomatopeya
    (C) personificación
    (D) sinestesia

6. La estrofa 5 es la más barroca por
    (A) su tono pesimista
    (B) sus ingeniosos juegos de palabras
    (C) su musicalidad
    (D) su extenso uso del hipérbaton

7. La estrofa 6 es una muestra magistral de
    (A) metáfora
    (B) cacofonía
    (C) aliteración
    (D) apóstrofe

Reflexiones AP® Edition, Instructor Resource Manual and Testing Program © Pearson Education, Inc.

Sección: 1.2.3 Poesía y prosa

Directions: *Read the following passage carefully. The passage is followed by questions or incomplete statements. Based on the information provided in the passage, select the BEST answer to each question from among the choices.*

Instrucciones: *Lee con cuidado el siguiente pasaje. El pasaje va seguido de varias preguntas u oraciones incompletas. Basándote en la información que se da en el pasaje, para cada pregunta elige la MEJOR respuesta de las opciones.*

Sabine Ulibarrí *Mi caballo mago* (6)

Era blanco. Blanco como el olvido. Era libre. Libre como la alegría. Era la ilusión, la libertad y la emoción. Poblaba y dominaba las serranías y las llanuras de las cercanías. Era un caballo blanco que llenó mi juventud de fantasía y poesía.

Alrededor de las fogatas del campo y en las resolanas del pueblo los vaqueros de esas tierras hablaban de él con entusiasmo y admiración. Y la mirada se volvía turbia y borrosa de ensueño. La animada charla se apagaba. Todos atentos a la visión evocada.

Mito del reino animal. Poema del mundo viril. Blanco y arcano. Paseaba su harén por el bosque de verano en regocijo imperial. El invierno decretaba el llano y la ladera para sus hembras. Veraneaba como rey de oriente en su jardín silvestre. Invernaba como guerrero ilustre que celebra la victoria ganada.

Era leyenda. Eran sin fin las historias que se contaban del caballo brujo. Unas verdad, otras invención. Tantas trampas, tantas redes, tantas expediciones. Todas venidas a menos. El caballo siempre se escapaba, siempre se burlaba, siempre se alzaba por encima del dominio de los hombres. ¡Cuánto valedor no juró ponerle su jáquima y su marca para confesar después que el brujo había sido más hombre que él!

1. ¿Qué figura predomina al principio de este fragmento?
   (A) La sinécdoque
   (B) El símil
   (C) El eufemismo
   (D) La paradoja

2. La expresión "el brujo" de la última oración es un ejemplo de
   (A) epíteto
   (B) apóstrofe
   (C) antítesis
   (D) retruécano

3. ¿Cómo es el tono de este fragmento?
   (A) Humorístico
   (B) Patético
   (C) Poético
   (D) Naturalista

4. En cuanto al estilo, se puede afirmar que el autor emplea
   - (A) oraciones complejas
   - (B) fragmentos de oraciones
   - (C) expresiones coloquiales
   - (D) elementos de lo sobrenatural

5. En este relato, el caballo pudiera ser un símbolo de
   - (A) la masculinidad
   - (B) la pureza
   - (C) la religión
   - (D) el amor

6. La metonimia del "jardín silvestre" en la línea es ocasionada por
   - (A) el color blanco del caballo
   - (B) el invierno
   - (C) la luz de las estrellas
   - (D) la frondosidad del campo

Sección: 1.2.3 Poesía y prosa

Directions: *Read the following passage carefully. The passage is followed by questions or incomplete statements. Based on the information provided in the passage, select the BEST answer to each question from among the choices.*

Instrucciones: *Lee con cuidado el siguiente pasaje. El pasaje va seguido de varias preguntas u oraciones incompletas. Basándote en la información que se da en el pasaje, para cada pregunta elige la MEJOR respuesta de las opciones.*

Luisa Valenzuela *Tango* (7)

Yo ando sola y el resto de la semana no me importa pero los sábados me gusta estar acompañada y que me aprieten fuerte. Por eso bailo el tango.

Aprendí con gran dedicación y esfuerzo, con zapatos de taco alto y pollera (falda) ajustada, de tajo. Ahora hasta ando con los clásicos elásticos en la cartera, el equivalente a llevar siempre conmigo la raqueta si fuera tenista, pero menos molesto. Llevo los elásticos en la cartera y a veces en la cola de un banco o frente a la ventanilla cuando me hacen esperar por algún trámite los acaricio, al descuido, sin pensarlo, y quizá, no sé, me consuelo con la idea de que en ese mismo momento podría estar bailando el tango en vez de esperar que un empleaducho desconsiderado se digne atenderme.

Sé que en algún lugar de la ciudad, cualquiera sea la hora, habrá un salón donde se esté bailando en la penumbra. Allí no puede saberse si es de noche o de día, a nadie le importa si es de noche o de día, y los elásticos sirven para sostener alrededor del empeine los zapatos de calle, estirados como están de tanto trajinar en busca de trabajo.

El sábado por la noche una busca cualquier cosa menos trabajo. Y sentada a una mesa cerca del mostrador, como me recomendaron, espero. En este salón el sitio clave es el mostrador, me insistieron, así pueden ficharte los hombres que pasan hacia el baño. . .

Ahora sé cuándo me toca a mí bailar con uno de ellos. Y con cuál. Detecto ese muy leve movimiento de cabeza que me indica que soy la elegida, reconozco la invitación y cuando quiero aceptarla sonrío muy quietamente. Es decir que acepto y no me muevo; él vendrá hacia mí, me tenderá la mano, nos pararemos enfrentados al borde de la pista y dejaremos que se tense el hilo, que el bandoneón crezca hasta que ya estemos a punto de estallar y entonces, en algún insospechado acorde, él me pondrá el brazo alrededor de la cintura y zarparemos.

1. Esta narrativa probablemente tiene lugar en

    (A) Lima

    (B) México D.F.

    (C) Río de Janeiro

    (D) Buenos Aires

2. ¿Por qué lleva la narradora sus elásticos de tango con ella a todas horas?

   (A) Es bailarina profesional.

   (B) Siempre los pierde.

   (C) Acaba de bailar tango.

   (D) Le dan mucha satisfacción.

3. ¿Por qué es bueno sentarse junto al mostrador cuando va a los salones de tango?

   (A) Está más cerca del baño.

   (B) Se ve mejor la orquesta.

   (C) No hay que esperar que empiece el próximo tango.

   (D) Se puede establecer contacto para bailar.

4. ¿Qué critica la narradora en la última oración del segundo párrafo?

   (A) La sociedad

   (B) Los bancos

   (C) La burocracia

   (D) Los hombres

5. El signo de los zapatos estirados sirve para comentar sobre

   (A) lo difícil que es bailar el tango

   (B) la situación económica del país

   (C) la pobreza de la mujer

   (D) lo mucho que baila el tango

6. ¿Qué imagen capta la autora en las "ultimas líneas: "él vendrá hacia mí, me tenderá la mano, nos pararemos enfrentados al borde de la pista y dejaremos que se tense el hilo, que el bandoneón crezca hasta que ya estemos a punto de estallar y entonces, en algún insospechado acorde, él me pondrá el brazo alrededor de la cintura y zarparemos".

   Una rueda de molino que da vueltas

   (A) Un torbellino de viento

   (B) Un toro que brama

   (C) Un barco que comienza a navegar

7. ¿Con qué sistema saca a bailar un hombre a una mujer?

   (A) Se emplean signos no verbales.

   (B) Primero observa cómo baila.

   (C) Eligen a las más bellas.

   (D) Todo está determinado de antemano.

Sección: 1.2.3 Poesía y prosa

Directions: *Read the following passage carefully. The passage is followed by questions or incomplete statements. Based on the information provided in the passage, select the BEST answer to each question from among the choices.*

Instrucciones: *Lee con cuidado el siguiente pasaje. El pasaje va seguido de varias preguntas u oraciones incompletas. Basándote en la información que se da en el pasaje, para cada pregunta elige la MEJOR respuesta de las opciones.*

César Vallejo *Los heraldos negros* (6)

Hay golpes en la vida tan fuertes . . . ¡Yo no sé!
Golpes como del odio de Dios, como si ante ellos,
la resaca de todo lo sufrido
se empozara en el alma. ¡Yo no sé!
Son pocos; pero son . . . abren zanjas oscuras
en el rostro más fiero y en el lomo más fuerte,
Serán tal vez los potros de bárbaros atilas;
o los heraldos negros que nos manda la Muerte.
Son las caídas hondas de los Cristos del alma,
de alguna fe adorable que el Destino blasfema,
Esos golpes sangrientos son las crepitaciones
de algún pan que en la puerta del horno se nos quema
Y el hombre…¡pobre...¡pobre! Vuelve los ojos,
como cuando por sobre el hombro nos llama una palmada;
vuelve los ojos locos, y todo lo vivido
se empoza, como charco de culpa, en la mirada.
Hay golpes en la vida, tan fuertes . . . ¡Yo no sé!

1. ¿Qué se puede decir con certeza del yo lírico en este poema?

    (A) Habla de todo lo que él ha sufrido.

    (B) Expresa el sufrimiento de toda la humanidad.

    (C) Busca a Dios pero no lo encuentra.

    (D) Ha recibido golpes, pero no sabe de quién.

2. En el verso 5 que empieza "Son pocos; pero son", se observa el uso de

    (A) aliteración

    (B) anáfora

    (C) asíndeton

    (D) onomatopeya

3. ¿Qué describe mejor el signo del "odio de Dios"?

    (A) Una personificación

    (B) Una trasformación radical del signo

    (C) Una metáfora atea pero eficaz

    (D) Un símbolo de la fe

4. ¿Cuál es la versificación de este poema?

   (A) Soneto

   (B) Verso suelto

   (C) Verso libre

   (D) Redondillas

5. Por su tono, su forma y su mensaje, se puede inferir que este poema fue escrito durante

   (A) la Edad Media

   (B) el Siglo de Oro

   (C) el período neoclásico

   (D) la época moderna

6. El signo de los "heraldos negros" es

   (A) paradójico

   (B) elíptico

   (C) ambiguo

   (D) positivo

Sección: 1.2.3 Poesía y prosa

Directions: *Read the following passage carefully. The passage is followed by questions or incomplete statements. Based on the information provided in the passage, select the BEST answer to each question from among the choices.*

Instrucciones: *Lee con cuidado el siguiente pasaje. El pasaje va seguido de varias preguntas u oraciones incompletas. Basándote en la información que se da en el pasaje, para cada pregunta elige la MEJOR respuesta de las opciones.*

Mario Vargas Llosa *Día domingo* (9)

The passage from Vargas Llosa can be found in *Reflexiones*, p. 389, ll. 1–36. For an advanced Internet search, the first line is "Contuvo un instante la respiración".

1. ¿Quién es el narrador de este fragmento de relato?
   (A) Miguel
   (B) Un amigo de Miguel
   (C) Una voz omnisciente
   (D) Un personaje desconocido

2. ¿En qué tiempo verbal narra la historia el narrador?
   (A) El presente
   (B) El futuro
   (C) El pasado
   (D) El condicional

3. ¿En qué estado de ánimo se encuentra Miguel al principio del fragmento?
   (A) Jubiloso
   (B) Satisfecho
   (C) Seguro
   (D) Atrevido

4. ¿Cuál oración describe mejor lo que siente Flora por Miguel?
   (A) Está locamente enamorada.
   (B) Está interesada pero indecisa.
   (C) Busca excusas para romper con él.
   (D) Le gusta como amigo pero no como novio.

5. El modo de cortejar que se observa en este relato indica que
   (A) las costumbres amorosas nunca cambian
   (B) el relato no tiene lugar en la actualidad
   (C) la mujer es siempre la víctima
   (D) hoy día las parejas tienen que tener cuidado

6. El relato está ambientado en
   - (A) el campo
   - (B) una aldea
   - (C) un centro urbano
   - (D) un lugar imaginado

7. ¿Qué figura se emplea para describir las orejas de Flora ("dos signos de interrogación, pequeñitos y perfectos")?
   - (A) Elipsis
   - (B) Sinalefa
   - (C) Sinestesia
   - (D) Metáfora

8. ¿Qué frase describe mejor el estilo del autor?
   - (A) Emplea mucha circunlocución.
   - (B) Es muy parco en la adjetivación.
   - (C) Describe las reacciones con mucho detalle.
   - (D) Deja mucho a la imaginación del lector.

9. ¿Después de la línea que empieza con "Unos minutos antes", el resto del relato puede considerarse
   - (A) una prefiguración
   - (B) un fluir de la conciencia
   - (C) un discurso indirecto libre
   - (D) un *flash-back*

Sección: 1.2.3 Poesía y prosa

Directions: *Read the following passage carefully. The passage is followed by questions or incomplete statements. Based on the information provided in the passage, select the BEST answer to each question from among the choices.*

Instrucciones: *Lee con cuidado el siguiente pasaje. El pasaje va seguido de varias preguntas u oraciones incompletas. Basándote en la información que se da en el pasaje, para cada pregunta elige la MEJOR respuesta de las opciones.*

Javier de Viana *Los amores de Bentos Sagrera* (8)

Cuando Bentos Sagrera oyó ladrar los perros, dejó el mate en el suelo, apoyando la bombilla en el asa de la caldera, se puso de pie y salió del comedor apurando el paso para ver quién se acercaba y tomar prontamente providencia [. . .]

El forastero, don Brígido Sosa, era un antiguo camarada de Sagrera y, como éste, rico hacendado. Uníalos, más que la amistad, la mutua conveniencia, los negocios y la recíproca consideración que se merecen hombres de alta significación en una comarca.

El primero poseía cinco suertes de estancia en Mangrullo, y el segundo era dueño de siete en Guasunambí, y pasaban ambos por personalidades importantes y eran respetados, ya que no queridos, en todo el departamento y en muchas leguas más allá de sus fronteras. Sosa era alto y delgado, de fisonomía vulgar, sin expresión, sin movimiento: uno de esos tipos rurales que han nacido para cuidar vacas, amontonar cóndores y comer carne con "fariña".

Sagrera era más bien bajo, grueso, casi cuadrado, con jamones de cerdo, cuello de toro, brazos cortos, gordos y duros como troncos de coronilla; las manos anchas y velludas, los pies como dos planchas, dos grandes trozos de madera. La cabeza pequeña poblada de abundante cabello negro, con algunas, muy pocas, canas; la frente baja y deprimida, los ojos grandes, muy separados uno de otro, dándole un aspecto de bestia; la nariz larga en forma de pico de águila; la boca grande, con el labio superior pulposo y sensual apareciendo por el montón de barba enmarañada.

Era orgulloso y altanero, avaro y egoísta, y vivía como la mayor parte de sus congéneres, encerrado en su estancia, sin placeres y sin afecciones. Más de cinco años hacía de la muerte de su mujer, y desde entonces él solo llenaba el caserón, en cuyas toscas paredes retumbaban a todas horas sus gritos y sus juramentos. Cuando alguien le insinuaba que debía casarse, sonreía y contestaba que para mujeres le sobraban con las que había en su campo, y que todavía no se olvidaba de los malos ratos que le hizo pasar el "diablo de su compañera".

Algún peón que lo oía, meneaba la cabeza y se iba murmurando que aquel "diablo de compañera" había sido una santa y que había muerto cansada de recibir puñetazos de su marido, a quien había aportado casi toda la fortuna de que era dueño.

1. Los signos como el "mate" y las "estancias" sugieren que este relato tiene lugar en

    (A) Argentina o Uruguay

    (B) México o Centroamérica

    (C) Perú o Bolivia

    (D) el Caribe

2. ¿Qué une Sagrera a Sosa?

   (A) Parentesco

   (B) Aspecto físico

   (C) Clase social

   (D) Gustos similares

3. ¿Qué pareja de adjetivos opuestos describe mejor a Sagrera y Sosa?

   (A) Feos y amables

   (B) Incultos y ricos

   (C) Crueles y generosos

   (D) Insolentes y chistosos

4. Las descripciones grotescas que hace el narrador de Sagrera y de Sosa son típicos del

   (A) Modernismo

   (B) Naturalismo

   (C) Renacimiento

   (D) Vanguardismo

5. Los "jamones de cerdo" para referirse a las piernas de Sagrera es un ejemplo de

   (A) personificación

   (B) símil

   (C) metonimia

   (D) alegoría

6. ¿Por qué no se ha vuelto a casar Sagrera después de la muerte de su esposa?

   (A) No se considera lo suficientemente joven.

   (B) No quiere gastar dinero en una mujer.

   (C) Puede tener a cualquier mujer que se le antoje.

   (D) Ninguna mujer querrá vivir en un sitio tan apartado.

7. La discrepancia entre la opinión que tiene Sagrera de su esposa y la de sus peones resalta

   (A) el subjetivismo de un narrador de primera persona

   (B) la objetividad de un narrador omnisciente

   (C) la confusión que resulta de un narrador no fidedigno

   (D) la claridad que puede ofrecer un autor implícito

8. ¿Qué realidad histórica de Hispanoamérica se refleja en este pasaje?

   (A) La miseria del pueblo

   (B) La barbarie del campo

   (C) Las rivalidades campesinas

   (D) La corrupción política

Sección:2.1.1 Text explanation

A Roosevelt

Identifica el autor de este fragmento de "A Roosevelt" y explica brevemente lo que significan las siguientes referencias dentro del tema anti-yanqui del poema:

- El estremecimiento que se siente hasta los Andes
- El culto de Hércules y el culto de Mammón
- La Estatua de la Libertad

Los Estados Unidos son potentes y grandes.
Cuando ellos se estremecen hay un hondo temblor
que pasa por las vértebras enormes de los Andes.
Si clamáis, se oye como el rugir del león.
Ya Hugo a Grant le dijo: «Las estrellas son vuestras».

(Apenas brilla, alzándose, el argentino sol
y la estrella chilena se levanta...) Sois ricos.
Juntáis al culto de Hércules el culto de Mammón;
y alumbrando el camino de la fácil conquista,
la Libertad levanta su antorcha en Nueva York.

Sección: 2.1.1 Text explanation

El sur

Identifica el autor de "El sur" y comenta brevemente sobre 2 de los siguientes puntos:

- La dualidad del ser
- La realidad histórica argentina
- La prefiguración
- La asimilación

The passage from Borges can be found in *Reflexiones*, p. 272, ll. 1–15. For an advanced Internet search, the first line is "El hombre que desembarcó en Buenos Aires en 1871 se llamaba Johannes Dahlmann".

Sección:2.1.1 Text explanation

En una tempestad

Identifica el autor de "En una tempestad" y la época cultural en que se escribió. Identifica las figuras retóricas que emplea el autor (específicamente: el apóstrofe, la metáfora, la aliteración, la cacofonía y la onomatopeya) para conseguir el ambiente de una tempestad.

Huracán, huracán, venir te siento,
y en tu soplo abrasado
respiro entusiasmado
del señor de los aires el aliento.

En las alas del viento suspendido
vedle rodar por el espacio inmenso,
silencioso, tremendo, irresistible
en su curso veloz. La tierra en calma
siniestra; misteriosa,
contempla con pavor su faz terrible.

¿Al toro no miráis? El suelo escarban,
de insoportable ardor sus pies heridos:
La frente poderosa levantando,
y en la hinchada nariz fuego aspirando,
llama la tempestad con sus bramidos.

Reflexiones AP® Edition, Instructor Resource Manual and Testing Program © Pearson Education, Inc.

Sección: 2.1.2 Text and art comparison

Barroco

A base de este poema de Góngora y este cuadro de la Capilla del Rosario en Puebla, México, explica como ambos reflejan la estética y el estilo del Barroco.

Mientras por competir con tu cabello,
oro bruñido al sol relumbra en vano;
mientras con menosprecio en medio el llano
mira tu blanca frente el lilio bello;

mientras a cada labio, por cogello.   5
siguen más ojos que al clavel temprano;
y mientras triunfa con desdén lozano
del luciente cristal tu gentil cuello:

goza cuello, cabello, labio y frente,
antes que lo que fue en tu edad dorada   10
oro, lilio, clavel, cristal luciente,

no sólo en plata o vïola troncada
se vuelva, mas tú y ello juntamente
en tierra, en humo, en polvo, en sombra, en nada.

For the image, do an Internet image search for "Capilla del Rosario Puebla" and select a large baroque example.

Reflexiones AP® Edition, Instructor Resource Manual and Testing Program © Pearson Education, Inc.

Nombre _____ Hora _____

Fecha _____

Sección:2.1.2 Text and art comparison

Mestizaje

Comenta sobre el mestizaje en Hispanoamérica a base de esta pintura de castas del siglo XVIII y el fragmento de "Balada de los dos abuelos" de Nicolás Guillén del siglo XX.

The passage from Guillén can be found in *Reflexiones*, p. 120, ll. 45–64. For an advanced Internet search, the first lines are "Sombras que solo yo veo, me escoltan mis dos abuelos. Don Federico me grita". For the art, do an Internet image search for "Miguel Cabrera Castas Mulato" and select the painting of the man with an embroidered white coat and cap.

Sección: 2.1.2 Text and art comparison

Surrealismo

Compara este fragmento de "Walking around" de Pablo Neruda con el cuadro de Salvador Dalí "Cisnes reflejando elefantes". Presta especial atención a la estética del Surrealismo y cómo se manifiesta en ambas obras.

The passage from Neruda can be found in *Reflexiones*, p. 464, ll. 1–25. For an advanced Internet search, the first line is "Sucede que me canso de ser hombre". For the art, do an Internet image search for "Dalí cisnes reflejando elefantes" and select a large example.

Sección: 2.2.1 Analysis of a single text

Gabriel García Márquez *El ahogado más hermoso del mundo*

Analiza lo que representa"El ahogado más hermoso del mundo" para los habitantes del pueblo. Comenta sobre el estilo literario que emplea García Márquez y el efecto que produce. Debes incluir ejemplos del texto que apoyen tus ideas.

The passage from García Márquez can be found in *Reflexiones*, p. 539, ll. 117–143. For an advanced Internet search, the first line is "Fue así que le hicieron los funerales más espléndidos".

Sección: 2.2.1 Analysis of a single text

Julio Cortázar *La noche boca arriba*

Analiza cómo funciona el tiempo y el espacio en el último párrafo de "La noche boca arriba" de Julio Cortázar. Debes incluir ejemplos del texto que apoyen tus ideas.

The passage from Cortázar can be found in *Reflexiones*, p. 293, ll. 1164–192. For an advanced Internet search, the first line is "Salió de un brinco a la noche del hospital".

Nombre _____ Hora _____

Fecha _____

Sección: 2.2.1 Analysis of a single text

José Ortega y Gasset *La deshumanización del arte*

Lee el siguiente fragmento de *La deshumanización del arte*, en el que José Ortega y Gasset hace una defensa del arte de vanguardia. Usando ejemplos de obras que conoces del Vanguardismo (por ejemplo, la poesía de Lorca y Neruda, el teatro de Dragún y el arte de Picasso y Dalí), explica lo que quiere decir Ortega y Gasset y expresa tu propia opinión al respecto.

The passage from Ortega y Gasset can be found in *Reflexiones*, pp. 520–521, ll. 50–66. For an advanced Internet search, the first line is "Se dirá que para tal resultado fuera más simple prescindir totalmente de esas formas humanas".

Nombre _____ Hora _____

Fecha _____

Sección: 2.2.2 Comparison of two texts

Gustavo Adolfo Bécquer *Volverán las oscuras golondrinas* y Pablo Neruda *Farewell*

Analiza la diferencia en el discurso amoroso entre el poema de Bécquer y el de Neruda. Comenta también sobre las diferencias de los recursos literarios que los autores emplean. Debes incluir ejemplos de los textos que apoyen tus ideas.

Bécquer:

Volverán las oscuras golondrinas
en tu balcón sus nidos a colgar,
y, otra vez, con el ala a sus cristales
    jugando llamarán;
pero aquéllas que el vuelo refrenaban   5
tu hermosura y mi dicha al contemplar,
aquéllas que aprendieron nuestros nombres...
    ésas... ¡no volverán!

Volverán las tupidas madreselvas
de tu jardín las tapias a escalar,   10
y otra vez a la tarde, aun más hermosas,
    sus flores se abrirán;
pero aquéllas, cuajadas de rocío,
cuyas gotas mirábamos temblar
y caer, como lágrimas del día...   15
    ésas... ¡no volverán!

Volverán del amor en tus oídos
las palabras ardientes a sonar;
tu corazón, de su profundo sueño
    tal vez despertará;   20
pero mudo y absorto y de rodillas,
como se adora a Dios ante su altar,
como yo te he querido..., desengáñate:
    ¡así no te querrán!

Neruda:

The passage from Neruda can be found in *Reflexiones*, p. 371, ll. 1–23. For an advanced Internet search, the first line is "Desde el fondo de ti, y arrodillado".

Sección: 2.2.2 Comparison of two texts

Jorge Luis Borges *Borges y yo* y Julia de Burgos *A Julia de Burgos*

Explica cómo el tema de la dualidad del ser se desarrolla en "Borges y yo" y "A Julia de Burgos". Compara también cómo cada autor se acerca al tema de modos diferentes. Debes incluir ejemplos que apoyen tus ideas.

Borges:

The passage from Borges can be found in *Reflexiones*, pp. 525–526, ll. 1–18. For an advanced Internet search, the first line is "Al otro, a Borges, es a quien le ocurren las cosas".

Burgos:

Ya las gentes murmuran que yo soy tu enemiga
porque dicen que en verso doy al mundo mi yo.
Mienten, Julia de Burgos. Mienten, Julia de Burgos.
La que se alza en mis versos no es tu voz: es mi voz
porque tú eres ropaje y la esencia soy yo; y el más
profundo abismo se tiende entre las dos.
Tú eres fria muñeca de mentira social,
y yo, viril destello de la humana verdad.
Tú, miel de cortesana hipocresías; yo no;
que en todos mis poemas desnudo el corazón.
Tú eres como tu mundo, egoísta;
yo no; que en todo me lo juego a ser lo que soy yo.
Tú eres sólo la grave señora señorona; yo no,
yo soy la vida, la fuerza, la mujer.
Tú eres de tu marido, de tu amo; yo no;
yo de nadie, o de todos, porque a todos, a
todos en mi limpio sentir y en mi pensar me doy.
Tú te rizas el pelo y te pintas; yo no;
a mí me riza el viento, a mí me pinta el sol.
Tú eres dama casera, resignada, sumisa,
atada a los prejuicios de los hombres; yo no;
que yo soy Rocinante corriendo desbocado
olfateando horizontes de justicia de Dios.
Tú en ti misma no mandas;
a ti todos te mandan; en ti mandan tu esposo, tus
padres, tus parientes, el cura, el modista,
el teatro, el casino, el auto,
las alhajas, el banquete, el champán, el cielo
y el infierno, y el que dirán social.
En mí no, que en mí manda mi solo corazón,
mi solo pensamiento; quien manda en mí soy yo.
Tú, flor de aristocracia; y yo, la flor del pueblo.
Tú en ti lo tienes todo y a todos se

lo debes, mientras que yo, mi nada a nadie se la debo.
Tú, clavada al estático dividendo ancestral,
y yo, un uno en la cifra del divisor
social somos el duelo a muerte que se acerca fatal.
Cuando las multitudes corran alborotadas
dejando atrás cenizas de injusticias
quemadas, y cuando con la tea de las siete virtudes,
tras los siete pecados, corran las multitudes,
contra ti, y contra todo lo injusto
y lo inhumano, yo iré en medio de
ellas con la tea en la mano.

Sección:2.2.2 Comparison of two texts

Federico García Lorca *La casa de Bernarda Alba* y Fernando de Rojas *La Celestina*

Escribe un ensayo bien organizado comparando la reacción de Bernarda Alba y la de Pleberio (padre de Melibea en *La Celestina* de 1499) ante la muerte de sus hijas, las cuales no murieron vírgenes. Considera las épocas en que se escribieron. Debes incluir ejemplos que apoyen tus ideas.

Lorca:

The passage from Lorca can be found in *Reflexiones*, pp. 367–368, ll. 345–384. For an advanced Internet search, the first lines are "Yo soy su mujer.(A Angustias.) Entérate tú y ve al corral a decírselo".

Rojas:

PLEBERIO.- ¡Ay, ay, noble mujer! Nuestro gozo en el pozo, nuestro bien todo es perdido. ¡No queramos más vivir! Y porque el incogitado dolor te dé más pena, todo junto sin pensarle, porque más presto vayas al sepulcro, porque no llore yo solo la pérdida dolorida de entrambos, ves allí a la que tú pariste y yo engendré hecha pedazos. La causa supe de ella; más la he sabido por extenso de esta su triste sirvienta. Ayúdame a llorar nuestra llagada postrimería.

¡Oh gentes que venís a mi dolor! ¡Oh amigos y señores, ayudadme a sentir mi pena! ¡Oh mi hija y mi bien todo! Crueldad sería que viva yo sobre ti. Más dignos eran mis sesenta años de la sepultura que tus veinte. Turbóse la orden del morir con la tristeza que te aquejaba. ¡Oh mis canas, salidas para haber pesar, mejor gozara de vosotras la tierra que de aquellos rubios cabellos, que presentes veo! Fuertes días me sobran para vivir, quejarme he de la muerte, incusarle he su dilación cuanto tiempo me dejare solo después de ti. Fálteme la vida, pues me faltó tu agradable compañía. ¡Oh mujer mía! Levántate de sobre ella y, si alguna vida te queda, gástala conmigo en tristes gemidos, en quebrantamiento y suspirar.

NOTAS

NOTAS

NOTAS

NOTAS

NOTAS

NOTAS

NOTAS

NOTAS

NOTAS

NOTAS

NOTAS

NOTAS